岡山・倉敷
カフェ時間

こだわりのお店案内

Word inc. 著

Mates-Publishing

はじめに

久しぶりに街を歩く。
馴染みのカフェに立ち寄ると、店主がいつもの
ように温かく迎えてくれ、ほっと安心する。

さらに歩みを進める。
見慣れたはずの風景がどことなく違う？
よく見ると、空き店舗だった場所に新しい
カフェが店を構えている。
ドキドキしながら店に入る。
店に流れる音楽やインテリアがつくり上げる
世界観が、自分の好みにマッチしたときの
高揚感といったら！

「岡山・倉敷 カフェ日和 ときめくお店案内」
の発行から4年。
岡山には新たなカフェが続々と誕生している。
本書では、そんなカフェを中心に53店舗を
ピックアップ。
店の雰囲気やおいしさへのこだわりはいう
までもなく、自家焙煎にこだわる店、岡山産
の果物にこだわる店など、お店の数だけ
"こだわり"がある。
あなたの感性にぴったりのお店はどこ？
新しい出会いを求めて、街へ繰り出してみて！

TOWER COF

特集 自家焙煎珈琲の店

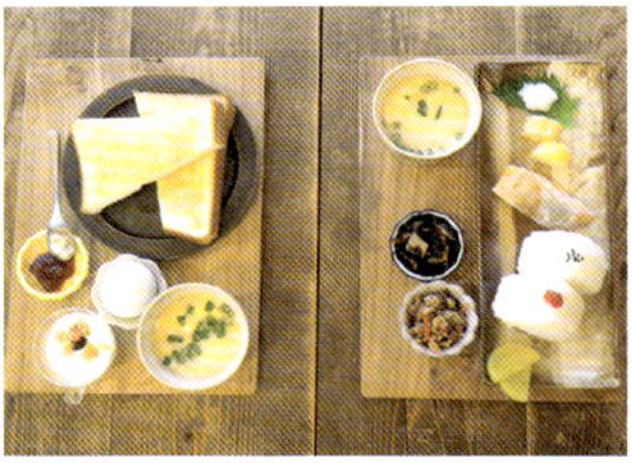

コラム

郊外のカフェ

特集 イートインOKのケーキ屋さん

岡山・倉敷 カフェ時間

CONTENTS

岡山市のカフェ

特集 フルーツ専門店

コラム

倉敷市のカフェ

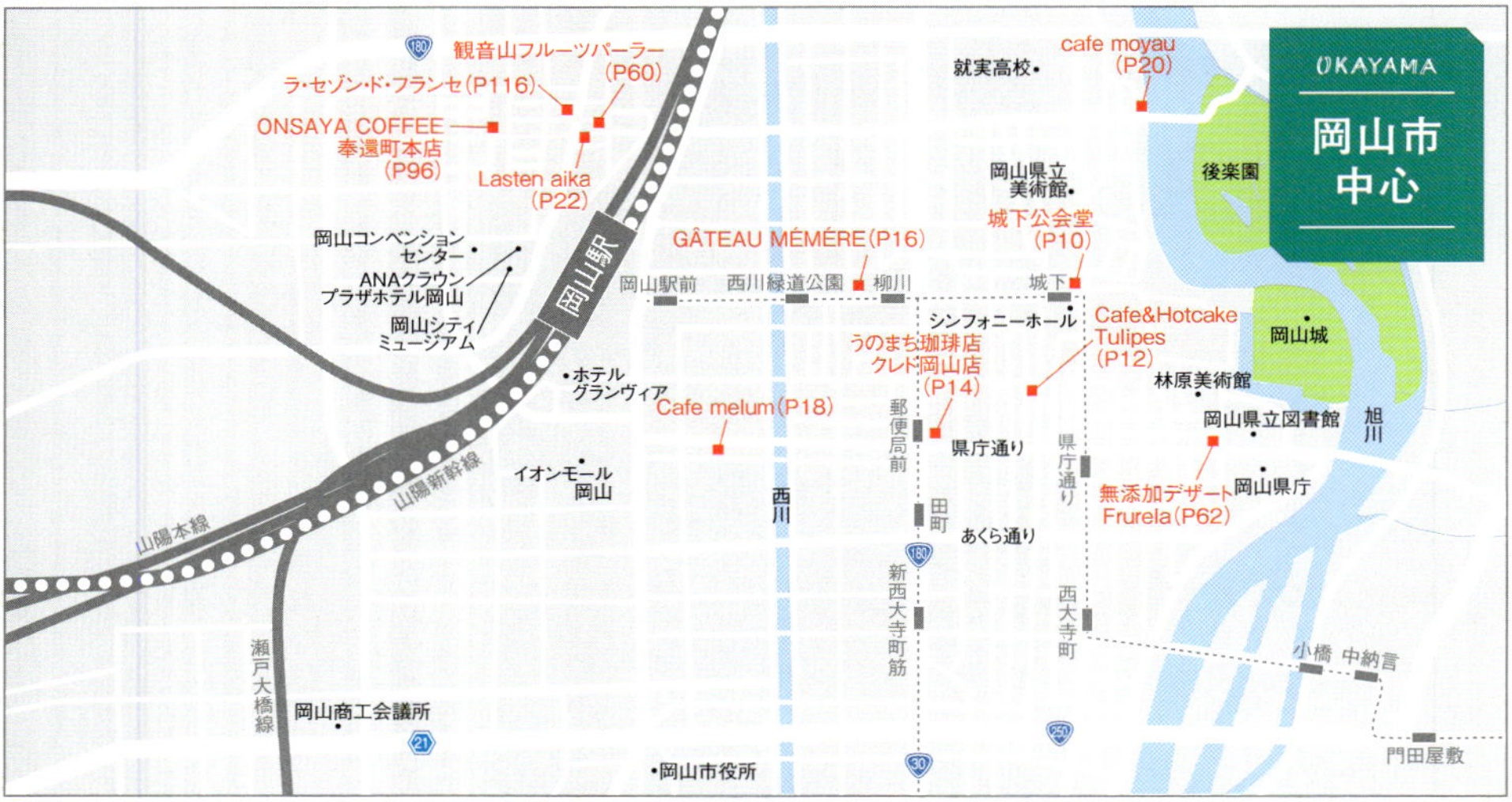

OKAYAMA
岡山市中心
観音山フルーツパーラー(P60)
ラ・セゾン・ド・フランセ(P116)
ONSAYA COFFEE 奉還町本店(P96)
Lasten aika(P22)
岡山コンベンションセンター
ANAクラウンプラザホテル岡山
岡山シティミュージアム
岡山駅
ホテルグランヴィア
山陽新幹線
山陽本線
イオンモール岡山
Cafe melum(P18)
GÂTEAU MÉMERE(P16)
岡山駅前
西川緑道公園
柳川
西川
郵便局前
田町
新西大寺町筋
うのまち珈琲店 クレド岡山店(P14)
県庁通り
あくら通り
シンフォニーホール
城下
城下公会堂(P10)
岡山県立美術館
就実高校
cafe moyau(P20)
後楽園
岡山城
Cafe&Hotcake Tulipes(P12)
林原美術館
岡山県立図書館
無添加デザート Frurela(P62)
岡山県庁
県庁通り
西大寺町
旭川
小橋
中納言
門田屋敷
瀬戸大橋線
岡山商工会議所
岡山市役所

四代目五果苑(P64)
山陽自動車道
国立病院機構 岡山医療センター
岡山IC
吉備スマートIC
TOWER COFFEE(P34)
六花園(P38)
CAFE FILO(P36)
山陽新幹線
上道
東岡山
西川原・就実
高島
畠瀬本店 食品部(P48)
池田動物園
吉備津
備前一宮
吉備線
大安寺
備前三門
岡山駅
大多羅
赤穂線
西大寺
北長瀬
菓子工房る・ぷらんたん(P118)
岡山大学病院
THE COFFEE HOUSE 大供本町店(P98)
大元
RSKバラ園
parc(P32)
庭瀬
Pocket Garden(P26)
cafe.the market maimai(P24)
シキシマドウノカフェ(P46)
cafetta 岡山店(P54)
Cafe Lapine(P56)
カフェギャラリー茶蔵(P52)
山陽本線
Bleuet(P30)
restore cafe アリアドネ.(P28)
BESSO COFFEE(P100)
備前西市
岡山赤十字病院
CAFÉ Z(P44)
岡山博愛会病院
百間川
旭川
吉井川
豆と餅(P40)
妹尾
瀬戸大橋線
山カフェ En été En hiver(P50)
Patisserie Cafe Jeu Coeur パティスリーカフェ ジュクール(P120)
岡山労災病院
備中箕島
早島
笹ヶ瀬川
倉敷川
日々のカフェ(P42)
OKAYAMA
岡山市郊外

Area Map

Okayama
Kurashiki
Cafe time

KURASHIKI
倉敷市
CAFE BRIDGE (P92)
Cafe Haruta (P78)
イオンモール倉敷
フューチャーヒャクカフェ (P74)
くらしき桃子総本店 (P68)
kobacoffee (P102)
パーラー果物小町 (P66)
72cafe (P82)
Cafe庭 (P76)
オールカフェ×タニタカフェ あちてらす倉敷店 (P72)
パティスリー ル・フォワイエ 天城本店 (P122)
倉敷芸術科学大学
CAFE&RESTAURANT TENTOMUSHI (P84)
Sunny Pantry (P86)
鷲羽山・スカイライン
chillda CAFE&SHARE (P88)
HÜTTE (P90)
パティスリー・ピアジェ (P124)
伯備線
清音
山陽新幹線
井原鉄道
倉敷I.C.
山陽本線
庭瀬
吉備真備
中庄
山陽自動車道
倉敷
西阿知
早島I.C.
早島
茶屋町
水島臨海鉄道
水島
水島I.C.
瀬戸大橋線
瀬戸中央自動車道
児島
児島I.C.

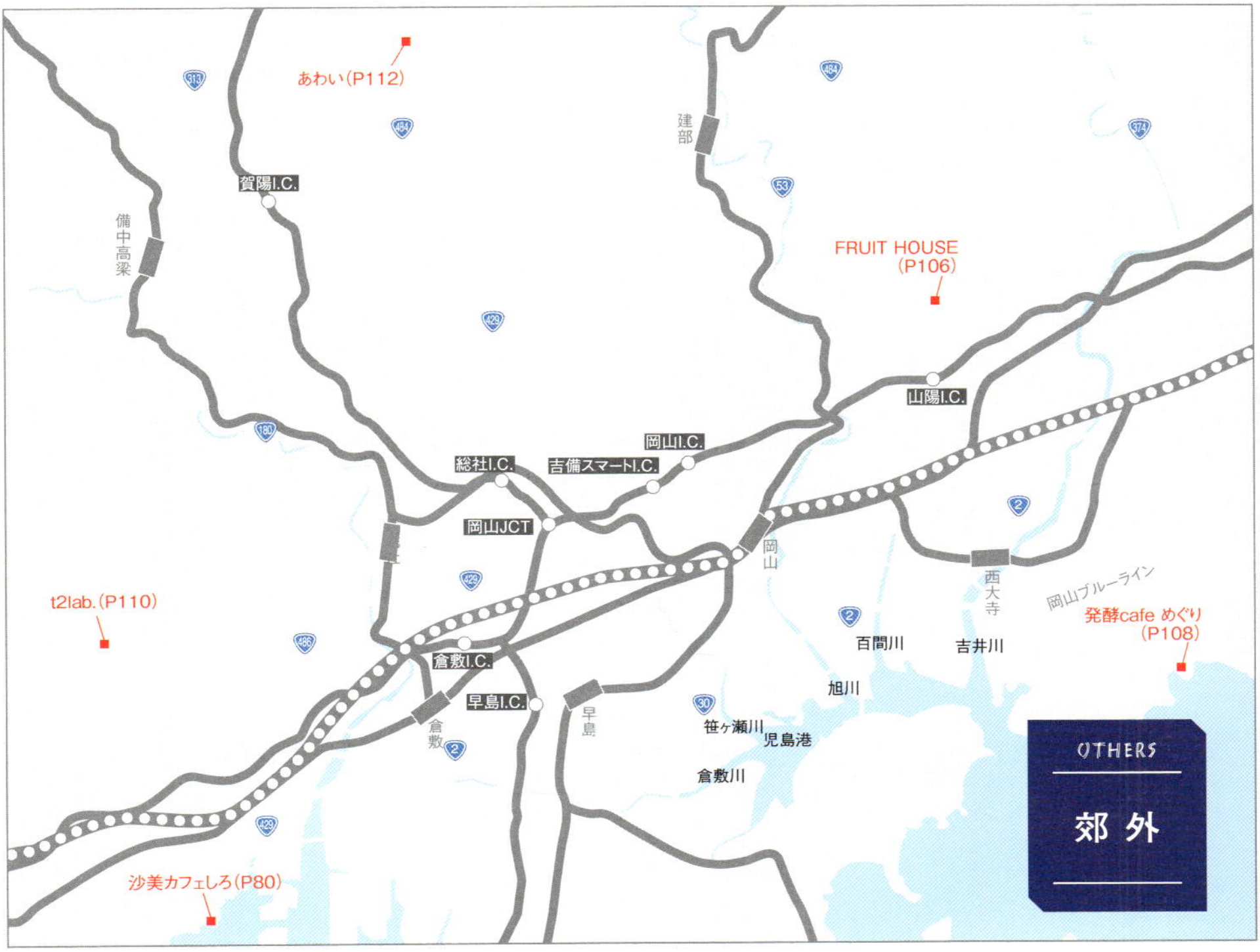
OTHERS
郊外
あわい (P112)
FRUIT HOUSE (P106)
t2lab. (P110)
発酵cafe めぐり (P108)
沙美カフェしろ (P80)
建部
賀陽I.C.
備中高梁
山陽I.C.
岡山I.C.
総社I.C.
吉備スマートI.C.
岡山JCT
岡山
西大寺
岡山ブルーライン
百間川
吉井川
旭川
倉敷I.C.
早島I.C.
早島
倉敷
笹ヶ瀬川
児島港
倉敷川

How to use.

OKAYAMA

城下公会堂

しろしたこうかいどう

岡山市北区天神町10-16 城下ビル1階

086-234-5260
11:00~16:00(OS15:30、ランチはOS15:00)
火曜(祝日の場合営業)
禁煙
なし
城下電停から徒歩1分

器や素材選びにかける
ひと手間がうれしいカフェ

1.甘さ控えめな「ガトーショコラ」 2.店内奥にはステージやピアノが。夜はイベントも開催 3.ハンバーグと鯖のみそ煮の両方が味わえる「2種盛定食」。ご飯、みそ汁、小鉢2種、サラダ、漬物が付く 4.リンゴのコンポートがのる「アップルミントソーダフロート」。フレッシュミントが爽やか

岡山市内屈指の文化ゾーンにあるカフェ。「人が集う場を提供したい」との思いから、「城下公会堂」と名付けられた。窓から路面電車の往来が眺められ、木の温もりを感じる店内にテーブルがゆったりと配置されている。ガトーショコラやベイクドチーズケーキなどの自家製スイーツのほか、スパイスで漬けたショウガのスライスが入った「チャイ」や「バナナジュース」など種類豊富なドリンクが楽しめる。ランチの定食も人気で、メインは時期によってソースが変わるハンバーグか、「備前味噌醤油」のみそを使った鯖のみそ煮から選べ、季節の野菜をたっぷり使った小鉢がつく。料理の味が混ざらないように小皿で提供しているのもこだわりだ。数量限定のため、前日までの予約がおすすめ。

MAP

岡山県検察庁
オリエント美術館
城下公会堂
柳川
桃太郎大通り
城下
岡山シンフォニーホール
四国銀行岡山支店
トマト銀行中山下支店

MENU

- チャイ(アイス/ホット) ……600円~
- アップルミントソーダフロート ……850円
- バナナジュース ……600円
- ケーキ各種 ……600円
- 定食(ハンバーグまたは鯖のみそ煮) ……1,100円
- 2種盛定食(ハンバーグ・鯖のみそ煮) ……1,400円

011

010

a エリア
お店のあるエリアを紹介しています。

b 店名
店名とよみがなを記載しています。

c Shop Data
住所、電話番号、営業時間、定休日、禁煙・分煙の別、駐車場、アクセスなどの情報を紹介しています。

d 外観
お店の外観写真です。お出掛けの際の目印に。

e 写真
お店のおすすめポイントを写真で紹介しています。

f 本文
実際に取材した内容を記載しています。季節によって内容が変わる場合があります。

g Menu
フードやドリンクの一部を紹介しています。料理名の記載はお店の表記に合わせています。

h アクセスMap
お店周辺の、簡略化した地図を掲載しています。

注意事項
○本書に記載してある情報は、2022年6月現在のものです。○料理は基本的に税込み(10%)です。税率の変動によって価格が変わる場合があります。○お店の移転、休業、閉店、またはメニューの料金、営業時間、定休日などの情報に変更がある場合もありますので、事前にお店にご確認のうえお出掛けください。

[岡山市のカフェ]

OKAYAMA

城下公会堂

しろしたこうかいどう

岡山市北区天神町10-16 城下ビル1階

☎ 086-234-5260
営 11:00〜16:00(OS15:30、ランチはOS15:00)
休 火曜(祝日の場合営業)
禁煙
P なし
交 電停「城下」から徒歩1分

器や素材選びにかける
ひと手間がうれしいカフェ

1.甘さ控えめな「ガトーショコラ」 2.店内奥にはステージやピアノが。夜はイベントも開催 3.ハンバーグと鯖のみそ煮の両方が味わえる「2種盛定食」。ご飯、みそ汁、小鉢2種、サラダ、漬物が付く 4.リンゴのコンポートがのる「アップルミントソーダフロート」。フレッシュミントが爽やか

岡山市内屈指の文化ゾーンにあるカフェ。「人が集う場を提供したい」との思いから「城下公会堂」と名付けられた。窓から路面電車の往来が眺められ、木の温もりを感じる店内にテーブルがゆったりと配置されている。ガトーショコラやベイクドチーズケーキなどの自家製スイーツのほか、スパイスで漬けたショウガのスライスが入った「チャイ」や「バナナジュース」など種類豊富なドリンクが楽しめる。ランチの定食も人気で、メインは時期によってソースが変わるハンバーグか、「備前味噌醤油」のみそを使った鯖のみそ煮から選べ、季節の野菜をたっぷり使った小鉢がつく。料理の味が混ざらないように小皿で提供しているのもこだわりだ。数量限定のため、前日までの予約がおすすめ。

MAP

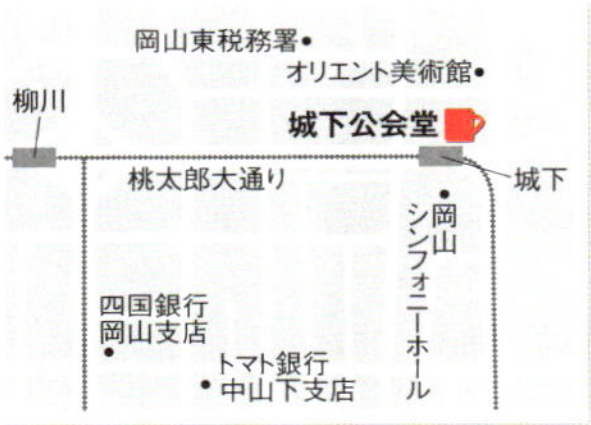

MENU

- チャイ(アイス/ホット) …… 600円~
- アップルミントソーダフロート …… 850円
- バナナジュース …… 600円
- ケーキ各種 …… 600円
- 定食(ハンバーグまたは鯖のみそ煮) …… 1,100円
- 2種盛定食(ハンバーグ・鯖のみそ煮) …… 1,400円

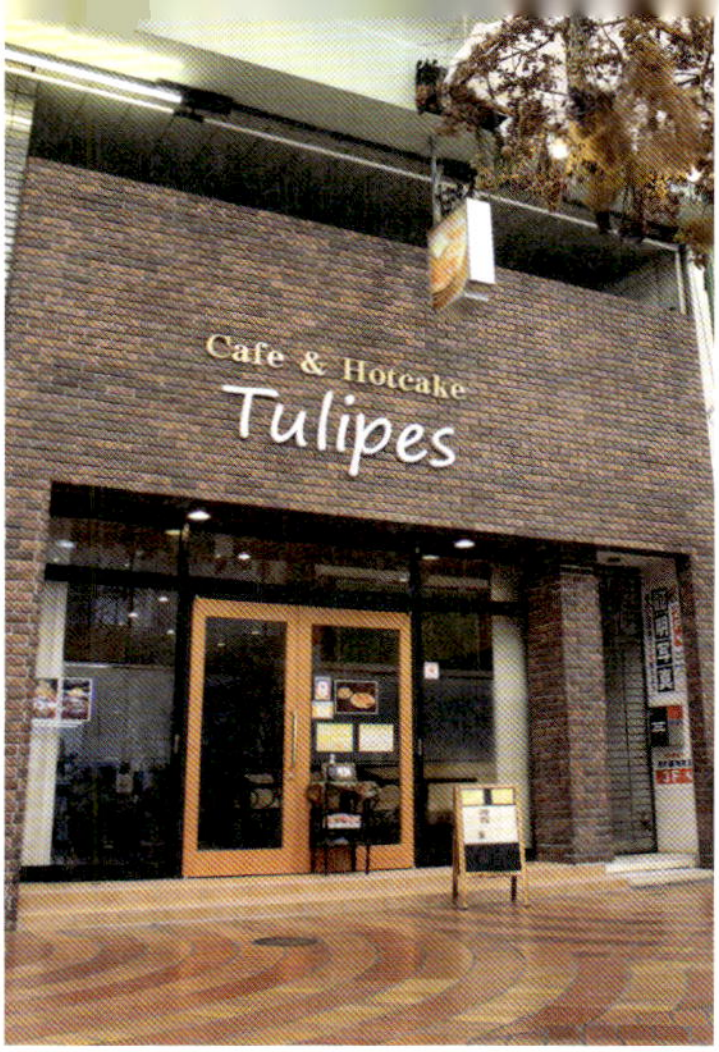

Cafe&Hotcake

Tulipes

カフェ アンド ホットケーキ チュリップ

岡山市北区表町1-10-10

☎ 086-224-2211
営 10:00～19:00
（OS18:30）
休 不定休

禁煙
P なし
交 天満屋バスステーション
から徒歩3分

シンプルを極めた
絶品ホットケーキ

1.控え目な照明が落ち着いた雰囲気 2.パイナップルパフェ780円は驚きのボリューム 3.焼き加減はその日の気温や湿度に合わせて調整する 4.果実感たっぷりのパイナップルジュース650円（手前）とバナナジュース600円

表町商店街に２０２１年にオープンしたこちらのカフェの看板メニューは、どこかノスタルジックな見た目が愛らしいホットケーキ。一晩寝かせた生地を、オーダー後に一枚一枚こんがりと焼き上げてサーブしてくれるホットケーキは、表面はサクッと、中はふんわりモチっとした絶妙な食感。その、身体に染み入るような優しい甘さや味わい深さを堪能するために、あえてシロップやバターを付けずに食べ切る人もいるそう。ホットケーキの味わいに合わせてセレクトした豆を使い、エスプレッソマシーンで入れるコーヒーとのコンビネーションも抜群だ。銅板のプレートの上でホットケーキが焼かれる様子が、客席から眺められるのも楽しい。フルーツをふんだんに使ったパフェやフレッシュジュースにもファンが多い。

MAP

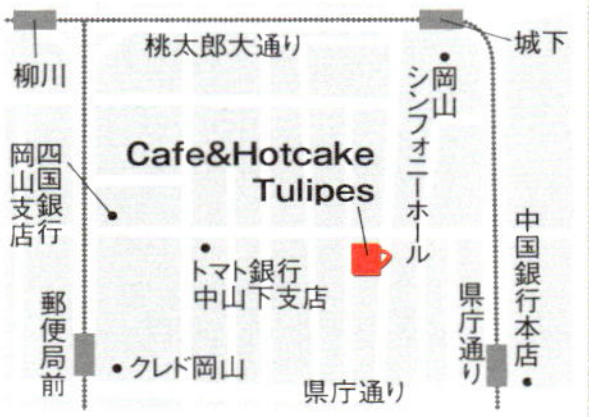

MENU

- ホットケーキ……………………………480円
- フルーツホットケーキ……………………730円
- 小倉のフルーツホットケーキ……………730円
- パイナップルパフェ ……………………780円
- フレッシュジュース各種…………………600円～
- コーヒー（ブレンド・アメリカン）…………各400円

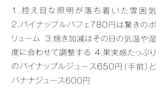

OKAYAMA

うのまち珈琲店 クレド岡山店

うのまちこーひーてん

岡山市北区中山下1-8-45 クレド岡山2F

- ☎ 086-230-3922
- 営 営:10:00～19:30（OS18:30）
- 休 無休（クレド岡山に準ずる）
- 禁煙
- P 店舗利用で「クレドパーキング」割引サービス
- 交 電停「郵便局前」から徒歩2分

ポップなスイーツが人気
居心地のいいブックカフェ

1

1.「クレームブリュレの季節のパフェ」は季節によってキウイに　2.ブックスペース　3.お気に入りの本に挟むしおり　4.色によってフレーバーが異なる「うのまちクリームソーダ」。「あお」は柑橘系フレーバー

2

3

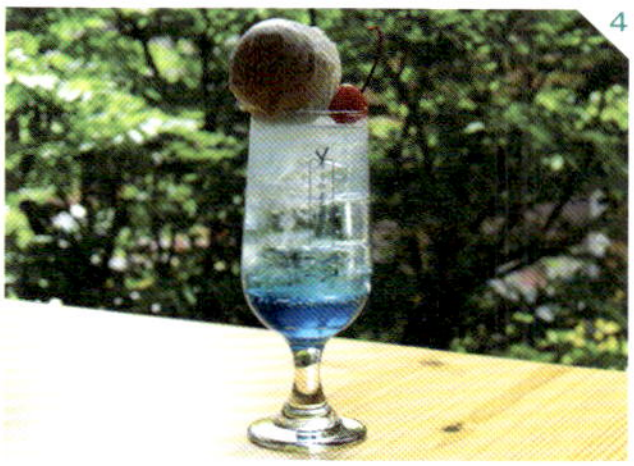

4

福山や奈良、渋谷、鎌倉にも展開する岡山発のブックカフェ。店内には小説や実用書、写真集など幅広いジャンルの約1500冊の蔵書があり、お気に入りを見つけてゆっくり過ごせる。お供はおいしいだけでなく見た目もかわいいスイーツ。なかでも「クレームブリュレの季節のパフェ」は思わず写真を撮りたくなると評判だ。焦がしキャラメルをサクッと割ると、ふるふるしたミルクプリンやバニラアイス、ソルベなど食感の異なるスイーツが登場し、最後まで飽きずに味わえる。

よく見ると、本にしおりが挟まれていることに気付く。これは、各テーブルに設置されたしおりに名前やSNSアカウントなどを記入して本に挟んだもの。同じ本を手に取った人とつながれるかもしれないワクワク感が楽しめる。

MAP

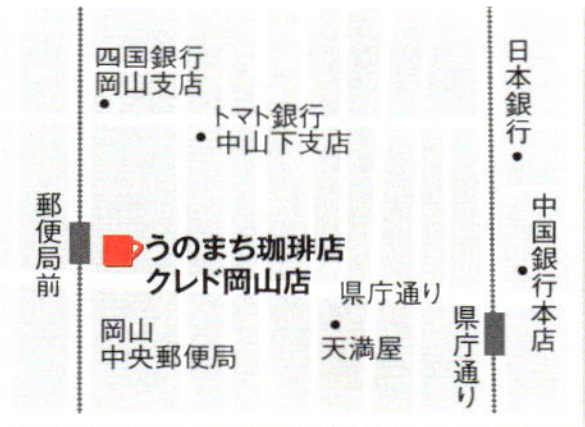

MENU

- クレームブリュレの季節のパフェ（別途ドリンクのオーダーが必要）
  …………………… 1,000円+ドリンク350円～
- うのまちクリームソーダ …………………… 700円
- ケーキセット …………………… 800円
- 本日の日替わり珈琲 …………………… 350円
- 本日のドリア …………………… 950円

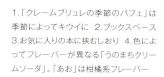

GÂTEAU MÉMÉRE

がとー　めめーる

岡山市北区野田屋町1-7-20　中野ビル2階

☎ なし（メール:gateaume mere2019@gmail.com）
営 11:00〜17:00（OS16:30）
休 月・火曜、第2・4日曜
禁煙
P なし
交 JR岡山駅から徒歩5分

アフタヌーンティーで
パリ気分を満喫

1.パーティーのように華やかな「アフタヌーンティー」 2.好きなマカロンが選べる「デザートプレート」 3.「眠れる森の美女」に登場する妖精をタルトで 4.芳醇な香りが人気の紅茶"マルコポーロ"。「マリアージュ フレール」の代表格

パリを愛してやまないオーナーが、「マリアージュ フレール」や「ニナス」などのフランス紅茶と、パリのカフェテラスの雰囲気を楽しんでほしいと、２０１９年にオープン。人気の「アフタヌーンティー」は、月ごとに、パリの行事にちなんだテーマや、「眠れる森の美女」「白雪姫」といった物語の世界観をディテールにこだわって表現。ウェルカムドリンク、旬のフルーツを使ったスイーツとセイボリー12種、紅茶やコーヒー、ジュースから選べるドリンクなどで構成される。メインに添えられたピックにはポジティブな気分になれるひと言が記されており、それを楽しみにしているリピーターも多い。アフタヌーンティー以外のメニューは予約不要。ドリンクはマカロンやパフェなどのスイーツとのセットで全品１００円引きになる。

MAP

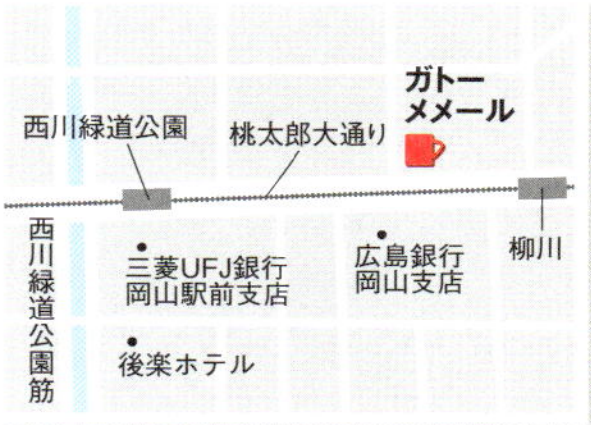

MENU

- アフタヌーンティー（ドリンク付き・要予約）・・・・2,860円
- 季節のスイーツタワー（ドリンク付き）・・・・・・1,848円
- デザートプレート・・・・・・・・・・・・・・・・・・・・・979円
- 選べるマカロンセット（3種）・・・・・・・・・・・・・780円
- ドリンク&マカロン1個セット・・・・・・・・・・・・・748円
- 紅茶・・・・・・・・・・・・・・・・・・・・・・・・・・・・・550円

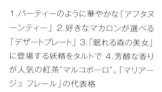

Cafe melum《かふぇ　めるむ》

岡山市北区幸町3-5　アミスタ幸町1F

080-8243-0686
営 11:00～18:00
（OS17:30）
休 なし

禁煙
P なし
交 JR岡山駅から徒歩7分

つい写真を撮りたくなる!
非日常を楽しめる韓国カフェ

1.SNS映え必至の白いラウンドテーブル 2.コロンとしたフォルムがかわいいカップ 3.濃厚な「チョコブラウニーアイス」600円 4.「クロッフル　メープル」700円。バニラアイス添え

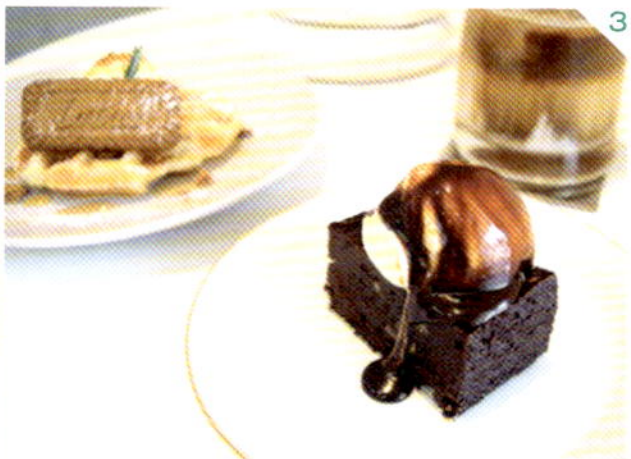

２０２１年に県庁通りにオープンした「カフェメルム」は、看板やメニューにハングルが並ぶ韓国カフェ。「ふらっと立ち寄るカフェではなく、いつもよりオシャレをして出掛けたくなる非日常空間にしたい」と話すオーナーは、東京や大阪で人気の韓国カフェを巡って研究したという。まず店内に入ると、テーブルやスツール、壁が白とグレーで統一され、無駄なものを省いたシンプルな世界観に引き込まれる。また、デザイン性の高いカップやグラスを韓国から取り寄せ、メニューに食事がなくスイーツとドリンクに特化しているのも韓国流。おすすめはクロワッサン生地のワッフルに、バニラアイスが載る「クロッフル」。メープルやチョコレートなどフレーバーが選べ、サクサク食感と、とろけるアイスクリームのコラボがたまらない。

MAP

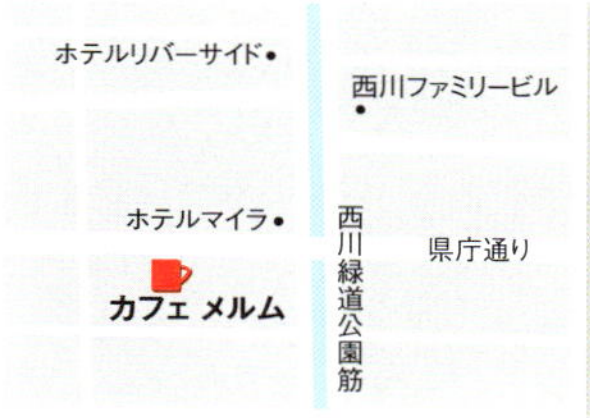

MENU

- ・クロッフル　チョコレート……………………700円
- ・クロッフル　ダブルベリー……………………700円
- ・抹茶ブラウニー……………………………………600円
- ・キャラメルラテ（アイス/ホット）…………600円
- ・へーゼルナッツラテ（アイス/ホット）………600円
- ・レモンエイド（アイス）…………………………600円

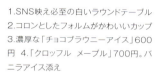

cafe moyau

カフェ　モヤウ

岡山市北区出石町1-10-2

☎ 086-227-2872
営 9:00〜11:00／11:30〜18:00（OS17:30）
※日曜は9:00〜11:00／11:30〜16:00（OS15:00）

休 不定休
禁煙
P なし
交 バス停「出石町一丁目」から徒歩5分

川の流れを眺めて、
思い思いの時間を

1.後楽園の緑や旭川の流れを眺められる2階の窓辺は特等席 2.「本日のケーキ」は、3～5種類から選べる 3.雑貨がしっくり馴染む店内 4.季節のくだものを使用した手作りシロップのソーダ割りは各650円

旭川にかかる鶴見橋のたもとの古びた倉庫をリノベーションしたカフェ。店内には雑貨やフォトスナップがさりげなく飾られ、レトロなムードを醸し出している。1階にはソファ席や、約2000冊の本に囲まれた図書室のような部屋、2階には、川を見下ろす窓際席や、冬はこたつを出す座敷もあるなど、趣の違うフロアに分かれている。朝は11時までモーニングタイム。昼は、季節の野菜や地元の食材を使ったおかず、みそ汁、雑穀ごはんが付く「日替わりごはん」や「オムライス」、スパイスが効いた「ガパオライス」など、ひと手間かけたランチが味わえる。また11時半から終日、季節のくだものを使ったドリンクやパフェ、自家製ケーキなどのスイーツも用意。読書をしたり、おしゃべりを楽しんだりと、思わず長居してしまいそう。

MAP

MENU

- 日替わりごはん …… 1,050円
- オムライス …… 1,050円
- 季節のくだもののパフェ …… 950円
- ガパオライス …… 980円
- ブレンドコーヒー …… 500円

Lasten aika

ラステンアイカ

岡山市北区奉還町1-4-10

☎ 086-728-0085
営 10:00〜19:00
休 月曜
🚭 禁煙
P なし
交 JR岡山駅から徒歩2分

絵本の世界に浸る
素敵なコーヒータイムを

1.「パムとケロ」シリーズに登場する「にちようびのドーナツ」のセットは人気 2.各コーナーにおしゃれな北欧家具を配置 3.カラフルなメッセージツリーが店のシンボル 4.国内・海外の絵本や児童書約500冊がそろう

ＪＲ岡山駅西口から徒歩すぐの街角に、ブルーにペイントされた愛らしい外観のカフェがある。店名の「ラステンアイカ」とは、フィンランド語で「子どもの時間」という意味。「親子で楽しめる空間を作りたい」という店主の思いから名付けたそうだ。プレオーダー&セミセルフ方式で、絵本のようなメニューブックを開くと、絵本に登場するスイーツや料理を連想させるオリジナルメニューがずらり。「にちようびのドーナツ」や、「ムーミンママのパンケーキセット」などは子どもたちや女性客に人気だそう。北欧風のデザイン家具がレイアウトされた店内にずらりと並ぶ、国内外の絵本や児童書をゆっくりと読みながら、コーヒーやスイーツを味わい、絵本の世界の登場人物に、思いをはせてみては。絵本のリユースも行っているそう。

MAP

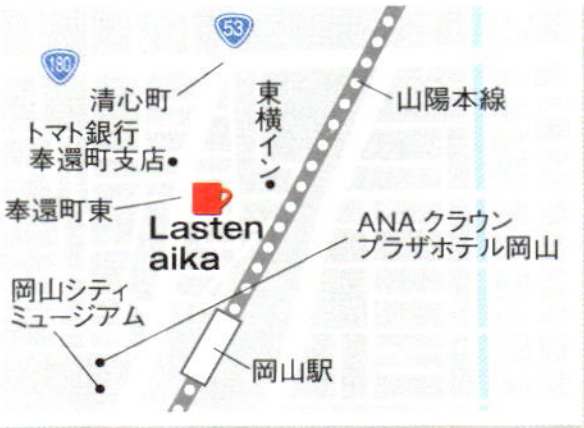

MENU

- ・ドーナツ　ドリンクセット……………………1,000円
- ・フレンチトースト　ドリンクセット　…………1,000円
- ・ムーミンママのパンケーキ　ドリンクセット……950円
- ・猫トラのホットケーキ　ドリンクセット　………950円
- ・カフェラテ………………………………………500円

cafe.the market maimai

カフェ ザ マーケット マイマイ

岡山市北区問屋町14-101 K'sテラス1階

☎ 086-259-5657
営 10:00〜22:00
（OS21:30）
休 第1火曜
禁煙※テラス席は喫煙可
P 6台
交 JR北長瀬駅から徒歩15分

センスあふれる問屋町で シンボル的存在のカフェ

1.カリッとトーストされた自家製パンのサンドイッチ「ボローニャ（挽き肉とトマト煮込み）」660円と、季節のドリンク「ブルーベリーラッシー」600円　2.自家製のパンやケーキは店頭販売もあり。パンは午前中で完売することもあるそう　3.店内の焙煎機で焙煎するオリジナルブレンドコーヒー「アメリカーノ」400円（アイス・ホット）　4.半熟卵をとろりと割って食べたい「タコライス」880円

岡山市北区問屋町といえば、その名の通り問屋街だが、2000年代に入りカフェやアパレルショップが次々と出店し、岡山随一のおしゃれストリートとしても知られている。その草分け的存在が同店だ。2004年の開店以来、カフェとしてはもちろん、音楽イベントを開催するなど、世代を超えた交流の場として支持されている。店内にはDJブースやピアノ、書棚があり、2階の「オルタナティブスペース」では不定期で展示会やポップアップショップなども開かれているという。

自家製パンのサンドイッチやタコライスといったフード、店内で焙煎するコーヒーや季節の素材を使ったドリンク、手作りのケーキやスイーツなど、多彩なメニューがラインアップ。文化的な雰囲気を感じながら、ゆったりとくつろげる店だ。

MAP

MENU

- B.L.Tサンド……660円
- バジル&トマトのカマンベールチーズサンド……660円
- ガパオライス……880円
- 生ハムのシーザーサラダ 自家製パン付……750円
- 「ミレンガ」2種盛りカレー……1,210円
- 自家製ケーキ……300円～

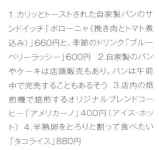

Pocket Garden

ポケット ガーデン

岡山市北区問屋町11-102 三鼓ビル1階

☎ 086-241-7666
営 11:00〜22:00
（OS 21:15）
休 第1・第3火曜
禁煙
P なし
交 JR北長瀬駅から徒歩15分

緑豊かな癒やしの空間で肉料理やスイーツを

1

1.窓際の明るい座席もあれば、ダウンライトの落ち着いたソファー席も用意されている 2.サーブされる紅茶は「amsu tea（アムシュティー）」のもの。店頭で販売もしている 3.自家製チリトマトソースが和牛ハンバーグと相性抜群の「ハンバーグランチ」1,430円 4.上品な甘さの「ほうじ茶ゼリー」550円は、やわらかな口あたりのほうじ茶ゼリーの下に白玉、生クリーム、つぶあんが重なる

2

3

4

問屋町はかつて繊維関連の卸売業で栄え、今はカフェやセレクトショップが集まるエリア。その一角に店を構える「Pocket Garden」は「小さな庭」が空間コンセプトのカフェだ。店内には緑があふれ、まるで植物園にいるかのよう。ビビッドカラーのチェアやソファーが並ぶ店内で、ひときわ目を引くのがパッチワーク柄の『イームズ』のチェア。インテリア好きのオーナーの奥様によるセレクトだ。「気軽に肉料理を楽しんでほしい」とシェフとしても腕をふるうオーナーの思いから、カフェには珍しく本格的なステーキやハンバーグも楽しめる。スイーツメニューも充実のラインアップで、上品な甘さの和スイーツがおすすめだ。緑に囲まれてリフレッシュできると、幅広い年齢層に愛されている。

MAP

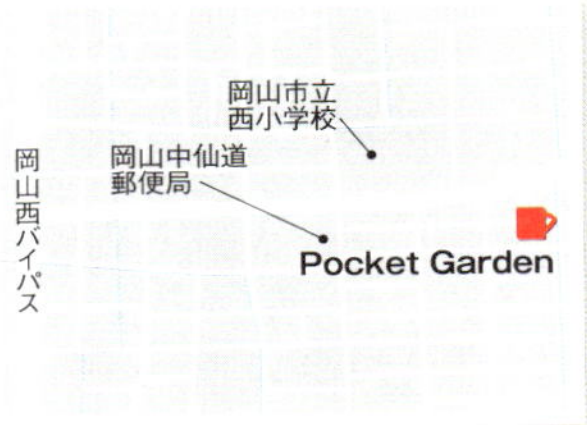

MENU

- ステーキランチ ……………… 1,650円
- 京風わらびもち ……………… 440円
- 抹茶と白玉の和風パフェ ……………… 990円
- リッチカカオの濃厚テリーヌショコラ ……… 550円
- 紅茶（amsu tea） ……………… 495円

OKAYAMA

restore cafeアリアドネ.

レストア カフェ　アリアドネ

岡山市北区北長瀬表町3-13-23

☎ 086-250-7299
営 11:00～15:00(OS14:30)
※ディナー休止中
お弁当テイクアウト
11:00～16:30最終受付

休 水・第3木曜
禁煙　※テラス席は喫煙可
P 9台
交 JR北長瀬駅から徒歩10分

たっぷりの野菜で
心と体が元気になれる

1

1.「バスクチーズケーキ」572円。ほろ苦さと濃厚さのバランスが絶妙 2.落ち着いた雰囲気の店内 3.日替りの「ぷちデザート」220円。この日は「かぼちゃのムース キャラメルソース（バニラアイス付）」。コーヒーは400円 4.天気の良い日はテラス席もおすすめ

2

3

4

岡山西バイパス沿いで目をひく、緑いっぱいの白い建物が「レストア カフェ アリアドネ.」だ。開放感のある店内に大きな窓から柔らかな光が差し込む。レストア（回復）という店名の通り、リラックス感あふれる店内で味わえるのは、減農薬野菜を使ったヘルシーな料理が中心だ。ハンバーグや各種フライ、パスタなどから選べるランチは、プラス44円で野菜の量を倍にできる「＋ベジ」も人気だ。また夏季は、肉の半分に大豆ミートを使用したガパオライスも登場。食後は日替わりの「ぷちデザート」やバスクチーズケーキなどのスイーツを、コーヒーと共にゆっくりと味わいたい。

今後は〝プラスアリアドネ〟をコンセプトとした「ヴィーガンメニュー」も検討中とのことなので、気になる人はSNSなどでチェックして。

MAP

MENU

- ランチ ･･････････････････････････････････ 1,122円～
- パスタランチ ････････････････････････････ 1,353円～
- パワーサラダ ････････････････････････････ 1,485円
- ランチドリンク ･･････････････････････････ 180円～
- ガパオライス（プレーン） ･････････････････ 1,122円

tea&coffee

Bleuet

ブルーエ

岡山市北区久米101-1

086-239-9375
営 11:00〜17:00(OS16:00)
休 水・土・日曜(臨時休業あり)
※第1土曜は営業の場合あり、8月、12月下旬〜1月上旬は休業
禁煙
P 7台
交 JR北長瀬駅から車で約5分

美しさと味わいを増す
至福のガーデンカフェ

1.「季節野菜とひよこ豆のドライカレー」1,000円（サラダ付＋150円） 2.季節の花が咲く庭の風景も素敵 3.サクサク食感の「スコーン（2個）」520円は紅茶とセットがおすすめ 4.「チーズケーキ」480円と「セパレートティー」580円

おいしい紅茶をゆったり味わえるガーデンカフェとして、10年以上ファンに愛され続けている「ブルーエ」。「イギリスの田舎に佇む小さな家」をイメージした店内は、愛着のある家具や小物がさりげなく置かれ、どこを切り取っても絵になる空間が広がる。年月と共に美しさと味わいが増す中庭は、バラやミモザ、アジサイ、ハーブといった季節ごとの植物が育ち、四季折々の表情を楽しめるのが魅力だ。紅茶は5種類ほどの茶葉を用意。幅広い客層に合わせたこだわりのコーヒー、ハーブティーなども楽しめる。紅茶に合うスコーンやケーキのほか、サンドイッチやカレーなどの食事もいただける。店内には1～4名で利用できる個室を完備。日常を忘れる隠れ家で、憩いのひと時を過ごして。

MAP

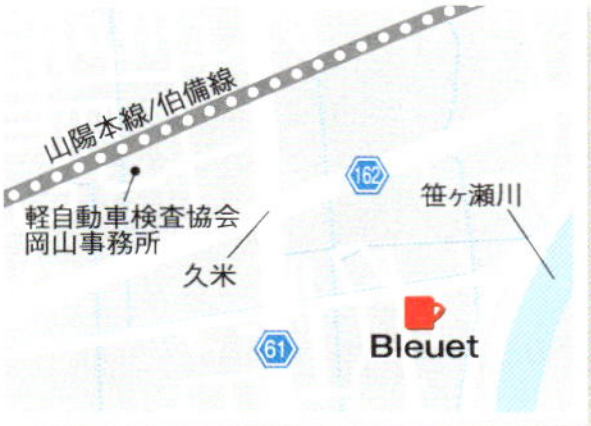

MENU

- 大山ハムとチーズのホットサンド ………… 1,000円
- 黒糖ミルクプリン …………………………… 480円
- バノフィーパイ ……………………………… 550円
- 紅茶（HOT） ………………………………… 480円
- ハーブティー ………………………………… 480円
- コーヒー（HOT） …………………………… 480円

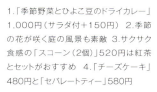

parc

パルク

岡山市北区撫川1592-1 RSKバラ園内

☎ 080-9060-1592
[営] 10:00～18:00（土・日曜、祝日は、8:00～OS9:45も営業 ※数量限定のモーニングメニューが売切れ次第終了）
[休] 不定休
[禁煙] 禁煙
[P] 700台（RSKバラ園と共同）
[交] JR中庄駅から車で10分

名店の味を気軽に！
緑あふれる穴場カフェ

1.RSKバラ園の無料スペース内に、2022年3月にオープン。芝生に面したテラス席は、愛犬同伴もOK　2.「ハンバーガー」1,320円　3.「クレーム・ブリュレ」550円　4.ほとんどのメニューがテイクアウト可能。人気のパンやスイーツなどの販売も

倉敷市上東に佇むフレンチの名店『ポンヌフ』初の姉妹店。当店限定の絶品カフェメニューや、本店で人気のチーズケーキなどのスイーツが、緑あふれるロケーションで楽しめる。オーダー後にカウンターのタイルの上で焼き上げるクラシックなクレーム・ブリュレ、松﨑牧場のノンホモミルクのフレッシュでふくよかな味わいとエスプレッソのほろ苦さがたまらないアイスクリームラテ、奈義牛のスネ肉や連島レンコンを用いたパテを挟んだぜいたくなハンバーガー、14種のスパイスが入ったシトラスの香り豊かなクラフトコーラなど、メニューは「これぞ『ポンヌフ』」と思わされる逸品ぞろい。テラス席で、オードブルとクラフトビールを満喫するのも最高だ。パンやスイーツなどの販売スペースも必見！

MAP

MENU

- ·カフェラテ …………………………… 605円
- ·アイスクリームラテ
  松﨑牧場のアイスとミルクとエスプレッソ …… 770円
- ·抹茶ラテ …………………………… 660円
- ·スパイシージンジャーエール ……… 550円
- ·クラフトビール ……………………… 770円
- ·芦屋uffuのアールグレイティ ……… 660円

TOWER COFFEE

タワーコーヒー

岡山市北区横井上20-3

☎ 086-259-1291
営 10:30〜18:30
（OS18:00）
休 火曜
禁煙
P 26台
交 岡山ICより車で3分

香り高きコーヒーと
インテリア雑貨で癒されて

1.仕上げに削りかけたチーズのコクと風味がクセになる「バスクチーズケーキ」748円 2.大きめビーフがゴロっと入った「TOWER CURRY」1,210円。同店自慢のコーヒーが隠し味に 3.ザクザク食感の木をイメージしたスコーン。定番ものから期間限定ものまで常時数種類が用意されている 4.併設のショップには『ELD』制作の家具がズラリ

「心から落ち着く空間と味わいを」を掲げる同店で楽しめるのは、産地と鮮度にこだわったフードメニューやカフェメニュー。ルウを一から店内仕込みするカレーや、全粒粉を使い、きび砂糖でやさしい甘さに仕上げた自家製スコーン、抽出方法が選べるコーヒーのほか、地域の生産者や農家の食材を使った魅力的なメニューが多数取りそろう。

　これらのおいしさをより引き立てているのが、スタイリッシュな空間。同店を運営する、家具製造販売・空間プロデュース企業『ELD INTERIOR PRODUCTS』が手掛けたもので、手触りや座り心地から伝わる木の温もりに時間を忘れてくつろげる。生活雑貨や家具を扱うインテリアショップも併設されており、食後にお気に入りの一品を探してみるのも一興だ。

MAP

MENU

- TOWER CURRY ･････････････････ 1,210円
- ハンバーグのプレート ･･････････････ 1,188円～
- アップルトレイベイク ･･････････････ 638円
- ELDオリジナルブレンド ･･････････････ 418円
- スムージー（各種）･･･････････････ 605円～

CAFE FILO

カフェ フィーロ

岡山市北区津島新野1-1-1

☎ 086-253-2888
営 11:30~19:30
※土・日曜、祝日は11:30~21:00
休 火曜
禁煙
P 3台
交 JR法界院駅から徒歩10分

かわい過ぎて食べられない!

ふわモコ3Dラテアート

1.チーズケーキ×ピスタチオアイス×フレッシュイチゴをギュッと詰め込んだ「ほうせき箱」。季節のフルーツが使われている 2.無骨で都会的なテイストの「ブルックリンインテリア」にエレガントさをプラスした“エレガントブルックリン”な店内 3.くすんだブルーの壁にドライフラワーが映える 4.さまざまなフォルムのペンダントライトが優しく照らす

岡山市屈指の文教地区にある『FILO』。多くの大学が並ぶ同エリアで、学生たちから厚く支持されているのが、同店の代名詞ともいえる「3Dラテアート」。クマやウサギをかたどったふわふわモコモコのラテは、“かわいすぎて食べられない”と評判だ。ホットでもアイスでも、好きなドリンクを選んでトッピングできるのも人気の理由。

このほか、器を宝石箱に見立てたトライフルパフェや、フルーツをたっぷり使ったかき氷など、華やかさとおいしさを兼ね備えた季節替わりのスイーツが楽しめる。ドリアやパスタなどの軽食も用意されているので食事使いにもおすすめ。都会的なテイストの「ブルックリンインテリア」にエレガンスさを加えたという、フォトジェニックな店内で、愛らしいラテに癒やされて。

MAP

MENU

- 3Dラテアート　ドリンク単品の場合 ········ 380円
  スイーツや食事メニューとセットの場合は200円
- カフェラテ ········ 500円
- ヘーゼルナッツラテ ········ 550円
- 本日のケーキ ········ 500円
- ホワイトとミートのあいがけドリア ········ 980円
- frozen　sweet―かき氷―(各種) ········ 600円

六花園

りっかえん

岡山市北区津島南2-5-1

☎ 086-289-5571
営 11:00～17:00（OS17:00）
※8月は11:00～18:00
（OS18:00）

休 なし　※年末年始休みあり
禁煙
P 提携駐車場あり
交 JR岡山駅から車で10分

まん丸フォルム×蜜だくな
フォトジェニックカキ氷

1.ダウンライトの温かみある照明で落ち着く空間 2.木彫りのカキ氷の看板が目印 3.「抹茶みるく」890円。食べ進めていくと、小豆が登場する 4.パンケーキが重ねられ、まるでショートケーキのような見た目の「いちごショート」980円

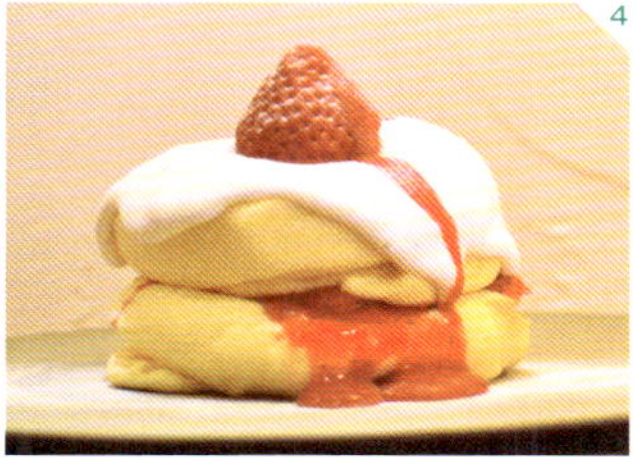

２０１８年にオープンした六花園は、夏はカキ氷、秋～春はパンケーキの専門店。いずれも旬の果物を使い、フォトジェニックなメニューを展開する。

４～９月頃に提供されるカキ氷は、まん丸な形と垂れるほどの自家製シロップが特徴。イチゴや白桃、梨など、その時季ならではの果物をメインにしたメニューのほか、シーズンを通して味わえるメニューも展開。例えば「かぼちゃキャラメル」８８０円は、濃厚なかぼちゃクリームと、ほろ苦いキャラメルが相性抜群で、食べ応えのある一品だ。10～3月提供のパンケーキには、赤磐産の鶏卵を使用。注文が入ってから生地を作り、銅板で焼くことでフワフワな仕上がりになる。カキ氷もパンケーキも心ときめく華やかな見た目で、食べる前に写真に収めたくなること間違いなしだ。

MAP

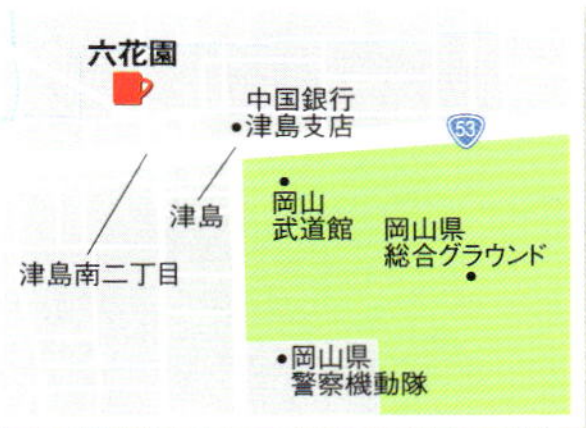

MENU

- かぼちゃキャラメル……………………890円
- 抹茶みるく……………………………890円
- 南国マンゴー…………………………980円
- いちごショート………………………980円
- チョコバナナ…………………………980円

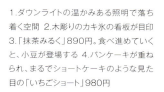

豆と餅

まめともち

岡山市南区古新田1125 ダイヤ工業ビル1階

- 086-282-1234
- 営 月・水・木曜11:00〜16:00（OS15:00）、金・土・日曜は17:00〜21:00も営業（OS20:30）
- 休 火曜
- 禁煙
- P 50台
- 交 JR妹尾駅から車で5分

豆腐と餅。老舗同士の和のコラボレーション

1

1.和モダンな雰囲気が心地よい店内。金〜日曜は夜も営業 2.自慢のこしあんとクリームをたっぷりサンドした「モチトッツォ」 3.「揚げだし豆富定食」。ランチはすべて餅菓子付き 4.販売コーナーも好評だ

2

3

4

明治14年創業の老舗きびだんご製造本舗・山脇山月堂と、昔ながらの製法で作る風味豊かな豆腐が人気の増田豆富店がコラボレート。「気軽に健康」をコンセプトに、新感覚の餅スイーツや、大豆のふくよかなうま味がしっかりと感じられる豆腐メニューが楽しめる。写真の「大福パフェ」は、増田豆富店の濃厚な豆乳を後口爽やかに仕上げたソフトクリームの上に、北海道産小豆を使ったこしあん入りの大福をトッピング。大福は、「きな粉」か「かぶせ茶」のどちらかを選べる。丼や定食など5種を用意するランチ（990円〜）も、連日行列ができるほどの人気ぶり。ランチにも登場する「手盛り豆富」や、マリトッツォを思わせるクリーム大福「モチトッツォ」など、両社が誇る味を集めた販売コーナーもチェックして。

MAP

MENU

- 大福パフェ（きな粉／かぶせ茶）……… 各660円
- 豆富ドーナツ（はちみつシュガー／黒蜜きな粉）…… 各550円
- モチトッツォ（きな粉／かぶせ茶）……… 各280円 ※数量限定
- 揚げだし豆富定食 ……… 1,100円
- 豆富丼 ……… 990円
- ちょい飲み御前 ……… 1,650円（17:00〜）

日々のカフェ

ひびのカフェ

岡山市南区西高崎62-23

086-239-7073
営 11:00〜19:00
休 なし
禁煙
P 20台
交 JR岡山駅から車で約30分

アンティーク家具が映える白い空間で
自家製パンと季節のスイーツを!

1.手前から時計回りに、季節のケーキ（チェリーのタルト）、定番のベイクドショコラ、ベイクドチーズ　2.オリジナルカップやTシャツも販売。シンプルでかわいらしいロゴは店主の姉がデザインしたもの　3.2階の座敷は、子ども連れのママに人気のスペース　4.好きな自家製パンを3つ選べる「スープセット」1,210円。ステンレスのトレーは特注品

国道30号線を玉野方面に向かう道中、一際目を引く白い建物が「日々のカフェ」。日常的に気軽に利用してほしいという思いから、こう名付けられた。白を基調にした店内には、アンティークの椅子とそのテイストに合わせてオーダーしたテーブルが並ぶ。2階には見晴らしのよいカウンター席やカフェには珍しい座敷もあり、ゆったりとくつろげる。

おすすめは、季節のスープに自家製パンとサラダ、ドリンクが付いた「スープセット」。毎朝お店で焼き上げるパンは、カヌレ型で焼いたクリームパンや、全粒粉とライ麦を使ったいちじくパンなどバラエティー豊か。季節の素材を使ったパフェやケーキなどスイーツも見逃せない。

7月にはテラス席が完成。愛犬の同伴OKというのもうれしいポイントだ。

MAP

MENU

・コーヒー	440円
・バナナジュース	660円
・季節のケーキ	385円
・月替わりのパフェ	990円
・チキンカレーのセット	1,320円

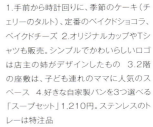

CAFÉ Z

カフェ ゼット

岡山市南区浜野2-1-35

☎ 086-263-8988
営 11:00〜19:00
※ランチタイムは11:30〜14:00
休 月・火曜
禁煙
P 6台
交 JR岡山駅から車で15分、バス停「浜野西」から徒歩5分

ギャラリー併設のカフェでフランスの田舎料理を

1.週替わりのランチは野菜サラダ・本日のキッシュ・パンorごはん付。写真は「バスクチキン」1,210円 2.マスターの酒井政徳さんと、「ミニゼット」でのみの市を主催する、隣の雑貨店「マルジュ」店主・大野絵美さん 3.ギャラリーの展示は2週間ごとに変わる（写真の企画は終了） 4.「さくらんぼたちのおしゃべりタルト」600円。その日おすすめの「コーヒー」550円〜は、作家が手がけたカップで

岡山市郊外、静かな住宅街にある「カフェ ゼット」。金型の製造工場を再生した建物内に、このカフェのほか、アーティストの工房や雑貨店などが軒を連ねる。旅やアートに造詣の深いマスターが、フランスのカフェを手本にして２００４年にオープン。アートや本が並ぶ店内では、フランスの田舎料理を思わせる野菜たっぷりの料理や、季節のフルーツを使ったスイーツが味わえる。

併設のギャラリーでは県内外のアーティストの企画展が行われ、作品の販売や、ワークショップの開催も。２０２０年９月には、「アクセサリーなど小物も気軽に展示してもらえるように」とイベントスペース「ミニゼット」も新設し、のみの市などが開催されている。多彩なアートと満足度の高い食が、心を満たしてくれそうだ。

MAP

MENU

- キッシュプレート …… 1,210円
- オムレツプレート …… 1,210円
- バスクチーズケーキ …… 550円
- ガトーショコラ …… 550円
- ダージリン（ミルクなし。ホット/アイス） …… 550円

シキシマドウノカフェ　平井店

岡山市中区平井5-8-43

- ☎ 086-230-5000
- 営 10:00〜18:00（OS17:00）
  ※物販コーナーは9:00〜18:00
- 休 なし
- 禁煙
- P 20台
- 交 バス停「木材市場入口」
  または「元上町」から徒歩4分

和菓子作りの技を生かした できたてスイーツに“口福”を感じて

1.粒状のわらび餅の食感が楽しい「WARAPI」 2.独創的な絵や小さな盆栽がさりげなく飾られた店内 3.『敷島堂』の銘菓が各種とりそろう物販コーナーも充実 4.スイーツに合うよう、季節ごとに焙煎も変えるこだわりのコーヒー「シキシマドウブレンド」

岡山屈指の和菓子メーカー『敷島堂』が、〝作り立てならではのおいしさを〟との思いからカフェをオープン。特殊製法で作る、粒状のわらび餅が入ったドリンク「WARAPI」をはじめ、長年培ってきた和菓子作りの技を随所に取り入れた洋菓子が楽しめる。

とりわけ、絹糸状に絞り出す和栗ペーストを、提供直前に回しかけて完成させる「国産和栗を使用したしぼりたてモンブラン」は秀逸。バター、洋酒、香料不使用なので栗本来の甘さや香りをダイレクトに堪能できる。滑らかな口当たりと豊かな風味に、トリコになる人続出というのもうなずける。木を基調とした落ち着いた雰囲気の店内には物販コーナーも併設。「マスカットきびたんご」をはじめ『敷島堂』が誇る銘菓の数々を購入できるのもうれしい。

MAP

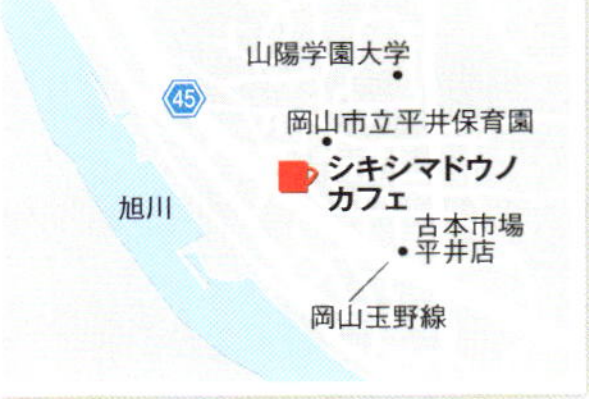

MENU

- 国産和栗を使用したしぼりたてモンブラン …… 1,320円
- 季節のしぼりたてモンブラン …… 1,430円～
- 季節のパフェ（期間限定） …… 1,320円～
- わらび餅ドリンク「WARAPI」（各種） …… 594円～
- シキシマドウブレンド …… 440円
- 紅茶 …… 440円

畠瀬本店 食品部

はたせほんてん しょくひんぶ

岡山市中区浜3-13-1

☎ 086-273-6883
営 11:30～17:00
（OS16:30）
休 日曜・祝日

禁煙
P 8台
交 バス停「浜東・中区役所前」から徒歩すぐ

和の空間で味わう 滋味深い家庭料理。

1.「鶏と大豆のハンバーグセット」1,100円は野菜たっぷりの副菜プレート付 2.座敷もあり、2Fは子ども連れも可能 3.「自家製生姜とはちみつとれもんのお茶」550円。ホットかアイス、ソーダ割りもOK 4.「ふわふわシフォンケーキ」450円。抹茶のほろ苦さと、餡子やアイスがマッチ

中区役所の向かい、緑豊かな庭の奥に「畠瀬本店 食品部」がある。まるで山あいの民家を訪れたかのような、心地よい空間だ。

ここで味わえるのは、旬の素材をふんだんに使い、丁寧に手作りされた素朴で滋味深い品ばかり。いずれも、腕をふるう畠瀬兄妹が子どもの頃に食べてきた家庭料理がベースとなっているとか。実は2人の祖母は料理塾のパイオニアとして活躍した畠瀬恵美子さんで、母も料理研究家だ。

人気のランチは「鶏と大豆のハンバーグセット」。柔らかな鶏肉の食感と、大豆のほのかな香りが口に広がる。季節のフルーツと共に味わう「ふわふわシフォンケーキ」などのスイーツや、「自家製生姜とはちみつとれもんのお茶」など、ヘルシーなドリンクもそろう。忙しい日々に疲れたら、訪れたい名店だ。

MAP

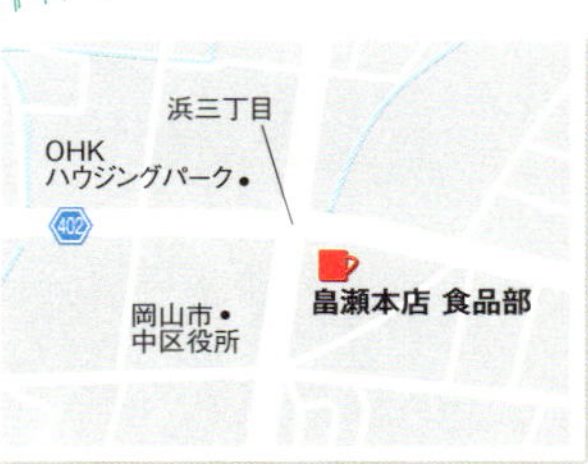

MENU

- 週替わりランチセット …… 1,100円
- 鶏と大豆のハンバーグセット …… 1,100円
- 野菜たっぷりドライカレーセット …… 1,100円
- お子様ミニドライカレー …… 550円
- 季節のフルーツロールケーキ …… 450円
- 畠瀬本店ブレンド …… 550円

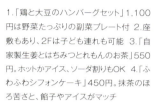

山カフェ En été En hiver

やまカフェ アネテ・アニヴェール

岡山市中区江崎468-5

☎ 086-237-9202
営 11:30〜17:00（OS16:00）
休 月・火曜
禁煙
P 13台
交 JR備前西市駅から車で約10分

山への親しみがわく
花屋併設のガーデンカフェ

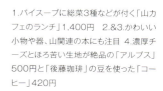

1.パイスープに総菜3種などが付く「山カフェのランチ」1,400円　2.&3.かわいい小物や器、山関連の本にも注目 4.濃厚チーズとほろ苦い生地が絶品の「アルプス」500円と「後藤珈琲」の豆を使った「コーヒー」420円

山をこよなく愛する店主が営む、ナチュラルな雰囲気のカフェ。店内には木の家具や自然をモチーフにしたインテリア雑貨、植物、登山関係の本や山岳写真がディスプレーされ、まるで山の空気に包まれているような心地よさを感じられる。カフェの向かいには花屋があり、両店の間は花と緑が彩る中庭的なロケーションとなっているのも魅力だ。メニューは岡山県産の食材にこだわり、月替わりのパイスープやキッシュをメインにしたランチは、野菜をたっぷり味わえると評判。スイーツは「アルプス」「ロッキー」と山にちなんだ名前のケーキを筆頭に、コーヒーや紅茶に合う素朴なおいしさの焼菓子をそろえている。山への親しみがわく空間で、四季折々の庭を眺めながら癒しの時間を過ごして。

MAP

MENU

- ・キッシュプレート ････････････････････ 1,200円
- ・アルプス（チーズケーキ） ････････････ 500円
- ・ロッキー（チョコレートケーキ） ･･････ 500円
- ・3種のスコーン ･･････････････････････ 500円
- ・米粉のシフォンケーキ ････････････････ 500円
- ・カフェオレ（HOT） ･･････････････････ 480円

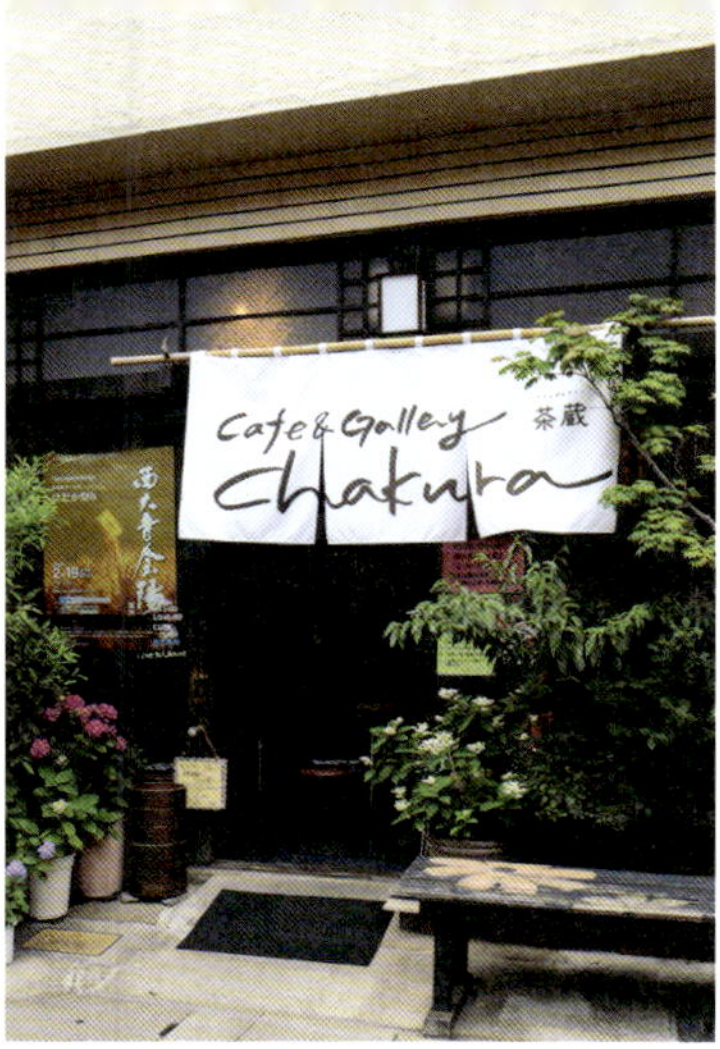

カフェギャラリー茶蔵

ちゃくら

岡山市東区西大寺中3-9-25

☎ 086-206-2283
営 11:00〜15:00
(OS14:00)
休 月・火曜、不定休あり
禁煙
P なし(近くに西大寺公民館駐車場あり)
交 JR西大寺駅から徒歩10分

人とモノをつなぐカフェで
季節素材のランチを堪能

1.この日のメインはトリテキ。彩豊かな旬野菜と共に 2.随所に飾られた遊び心あふれる雑貨も要チェック 3.備前焼やポストカードなど、地元作家の作品も販売 4.オリジナルのマグカップと手ぬぐいには、茶蔵の料理が描かれている

レトロな雰囲気の町並みで、映画のロケ地として人気の西大寺・五福通り。その一角に佇む「カフェギャラリー茶蔵」には、季節の地元食材でつくる「茶蔵ランチ」1200円を目当てに、多くの客が訪れる。ランチのテーマは「家族を思うごはん」。メイン料理、雑穀ごはん、汁物のほか副菜5品とデザートも付きボリューム満点な内容だ。一皿ごとに味付けが変わり、彩豊かな盛り付けで、味はもちろん見た目も楽しい。また、月に数日のみドリンクとスイーツが付く「デザートランチ」1800円も提供。こちらは完全予約制で、実施日はSNSでのみ告知される。

人々が集う場としても活用され、料理教室や編み物教室などのイベント開催も多い。人とモノをつなぐ場所として、今日も茶蔵はにぎわいを見せる。

MAP

MENU

・茶蔵ランチ	1,200円
・デザートランチ(完全予約制)	1,800円
・アイスコーヒー	550円
・甘酒ラテ	1,500円
・クリームソーダ	550円

cafetta 岡山店

カフェッタ

岡山市東区西大寺松崎3-2

【TEL】050-8883-5888
【営】平日10:00～18:00(OS17:00)
土日祝10:00～19:00(OS18:00)
【休】水曜

【禁煙】禁煙※外に喫煙スペースあり
【P】14台(共有)
【交】バス停「西大寺中央クリニック前」から徒歩1分

かわいくっておいしい
トレンドスイーツに大満足!

1

1.「フルーツパンケーキ」1,430円　2.明るく居心地の良い店内。テイクアウト品も充実　3.もっちりした韓国の揚げドーナツ「クァベギ」500円　4.メロン丸ごとのぜいたくな「まるまるメロンクリームソーダ」1,480円

2

3

4

２０２２年１月のオープン以来、スイーツ好きの若い世代からご近所の常連客まで幅広いファンを持つ人気店。韓国スイーツやカフェのトレンドをいち早く取り入れ、見た目のかわいさとおいしさを追求したスイーツを提供している。名物のパンケーキはプルッ、フワッと口の中でとろける新食感。甘く香ばしいクロッフルもあり、いずれもトッピングのバリエーションが充実。夏は韓国風かき氷などの冷たいスイーツが登場し、旬のフルーツをぜいたくに使った期間限定スイーツも楽しめるなど、季節感あふれるメニュー構成も魅力だ。店内はフォトジェニックなメニューが映えるシンプルな空間で、大人同士のグループやお一人様でも気軽に立ち寄れる。続々登場する新作スイーツはインスタグラムでチェックして。

MAP

MENU

- カフェッタパンケーキ……880円
- チョコバナナパンケーキ……1,100円
- フルーツクロッフル……1,430円
- イチゴミルク……495円
- 韓国風かき氷（夏）……450円～
- クリームソーダ……495円

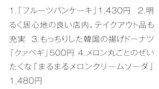

Cafe Lapine

カフェ ラピーヌ

岡山市東区西大寺南1-1-17

- ☎ 086-206-3484
- 営 10:30～16:00（ランチ11:00～OS14:00、カフェ～OS15:30）、土日のみ17:30～21:30（OS20:30）
  ※予約があれば平日も対応
- 休 月曜
- 禁煙
- P 4台
- 交 バス停「西大寺農協前」から徒歩すぐ

レストラン仕込みの味を多彩なメニューで楽しむ

1

1.予約制の「アフタヌーンティー」1人3,300円（写真は2人分） 2.居心地の良い店内 3.イチゴやパイナップルなど種類豊富な「ごろごろフルーツのサワー」各660円 4.小鉢3品が付く「エビフライランチ」1,210円

2

3

4

ブライダルレストランで経験を積んだシェフが、家族で営むアットホームなカフェ。「誰もが食べやすく、親しみのある料理」をテーマに、味、ボリューム、見た目も満足できるランチや手作りスイーツ、温かい接客で迎えてくれる。丁寧な仕込みが光るランチは、週替わりのメインに定番のエビフライ、丼物、パスタなどバリエーション豊富。ショーケースにはケーキやマリトッツォなどの心躍るスイーツが日替わりで並ぶ。右ページのベイクドチーズケーキは、瀬戸内レモン、宇治抹茶、紅茶など風味の違いが楽しめると人気。朝はお弁当のテイクアウト、午後は気軽にティータイム、種類豊富なドリンクを片手に夜カフェと、多彩な使い方ができるのも魅力だ。スイーツ好きなら、夜限定で予約できる本格的なアフタヌーンティーもおすすめ。

MAP

MENU

- 今週のおまかせランチ ……… 1,100円
- 今週のパスタランチ ……… 1,100円
- 炙りチャーシュー丼 ……… 1,210円
- 自家製プリン ……… 440円
- マリトッツォプレート（アイス付） ……… 440円
- ブレンドコーヒー ……… 440円

Special

-特集-

フルーツ専門店

旬のフルーツの
みずみずしさを
堪能!

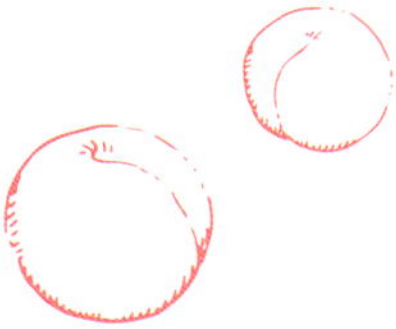

これはもう、ほぼまるごと果実！
旬を味わう豪華パフェ

FRUIT CAFE

観音山フルーツパーラー OKAYAMA

提携農家から仕入れた旬の果物を使用したフルーツパフェ専門店『観音山フルーツパーラー』が、２０２１年夏岡山にオープン。ブランドメロンを、シャーベットやアイスなどで味わえる「足守メロンパフェ」や、6種類の果物を一度に楽しめる「旬フルーツの農園パフェ」など、季節ごとに登場する、旬のフルーツを使ったオリジナルパフェが人気だ。

そのほか、もぎたて果実のおいしさを濃縮したシェイクや、果実に合わせてクリームを変えるフルーツサンド、トーストが隠れるほどの果実で彩られたフレンチトーストなど、魅惑的なメニューが多数そろう。色や塗装など細部にまでこだわったスタイリッシュな店内で、〝フルーツ王国岡山〟ならではの味に酔いしれて。

1

2

3

1.みずみずしい柑橘果肉とクリームのバランスが絶妙　2.フルーツの色を引き立てる天鵞絨（ビロード）色の壁　3.店内には物販コーナーも。飲むゼリー「なちゅるん」389円ほか、ドライフルーツやジャム、サイダーなどが購入できる。贈答用にも対応可　4.トロっと濃厚なシェイク。左から「柑橘シェイク」「イチゴシェイク」「ももシェイク」

4

SHOP INFO

観音山フルーツパーラー《かんのんやまふるーつぱーらー》 OKAYAMA

〒 岡山市北区奉還町1-5-15
☎ 086-236-8511
営 11:00～18:00（OS17:30）
※夏季（7～9月）は11:00～19:00（OS18:30）
休 火曜※夏季（7～9月）無休
禁煙
P なし※提携駐車場あり
交 JR岡山駅西口から徒歩5分

MENU

・旬フルーツの農園パフェ ……………… 1,520円
・足守メロンパフェ ……………… 2,180円
・旬フルーツのフレンチトースト ……………… 1,180円
・季節のフルーツサンド ……………… 770円～
・シェイク（各種） ……………… 700円～
・カフェラテ ……………… 550円
※スイーツとセットで150円引き

岡山産の果物をまるっと味わえる、無添加デザート専門店

FRUIT CAFE

無添加デザート Frurela

長年、飲食業界で働いてきた店主が「岡山県産の果物のおいしさをもっと知ってほしい」と2021年11月にオープンした無添加デザートの店。減農薬の果物、無農薬の野菜にこだわり、使用する素材は提携農家から仕入れている。砂糖や卵、生クリーム、バター、牛乳なども、生産方法や産地にこだわって厳選する徹底ぶりだ。

そんな同店のスイーツは、自然なおいしさを安心して楽しめると人気。なかでも「桃パフェ」は、白桃を丸ごと一個使用した見た目も豪華な一品。ジューシーな白桃と自家製のパンナコッタやミルクアイス、ラズベリーソースとの相性も抜群で、あっという間に完食できる。このほか、ミルク氷やミニパフェなどもラインナップ。さまざまな形で岡山県産の果物を堪能できる。

1

2

3

1.白い壁と木目が優しい雰囲気 2.バナナシェイク 3.山間地で放牧された牛から絞った味の濃い牛乳を凍らせて削った「ミルク氷」。自家製いちごシロップのほか、瀬戸内マンゴーやメロンをトッピングしたものも! 4.注文を受けてから作る無添加のお弁当（1,000円）。「豚のしょうが焼き」と「旨だれチキン南蛮」が隔日で登場

4

SHOP INFO

むてんかデザート フルリラ

無添加デザート Frurela

〒 岡山市北区丸の内2-12-16
050-8882-9350
営 11:30〜19:00
休 月曜
禁煙
P なし
交 電停「県庁通り」から徒歩3分

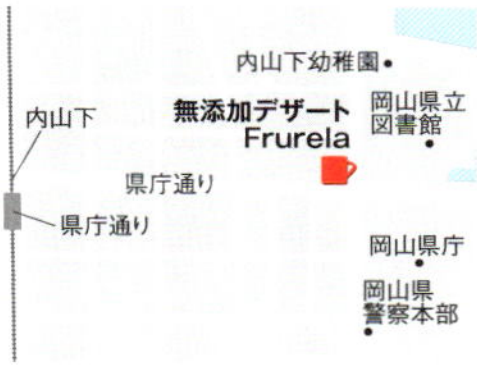

MENU

- 桃パフェ ………… 1,500円
- ミルク氷 ………… 600円〜
- バナナシェイク ………… 600円
- パンナコッタ ………… 450円
- ミニパフェ ………… 600円〜
- グルテンフリーケーキ ………… 500円

岡山の特産フルーツを一年中楽しめるカフェ

FRUIT CAFE

四代目五果苑

明治時代から果物栽培を行う五果苑。その四代目で、カフェ事業も始めた市川さんが目指すのは「一年中、岡山のおいしい果物を楽しめる店」。秋に収穫したブドウを、おいしさを保った状態で初夏まで保存するという、特殊な生産管理技術により、どの季節でもおいしいブドウが味わえる。

同店で人気なのが、季節の果物とブドウがたっぷりのった「五果苑フルーツカップ」８８０円。中には岡山市足守の牧場「安富牧場」のミルクと五果苑の白桃で作ったジェラートが入る。このほか、夏にはむきたての桃やブドウがトッピングされた、かき氷も登場。加工品やブドウの販売もしており、県内外からフルーツ王国・岡山の果物を求めて訪れる客を喜ばせている。

1

2

3

1.窓で囲まれた明るい店内。外にはテラス席もある 2.収穫した果物で干しぶどうやピクルスなどの加工品も作る 3.甘味料不使用で、果実そのものの風味が堪能できるマスカットスムージー(660円) 4.庭には桃やブドウが植えられている

4

SHOP INFO

よんだいめごかえん

四代目五果苑

〒 岡山市北区芳賀5385-6
☎ 080-6261-8910
営 10:00〜16:30(OS16:30)
休 水曜
テラス席のみ喫煙可
P 50台
交 JR岡山駅から車で25分

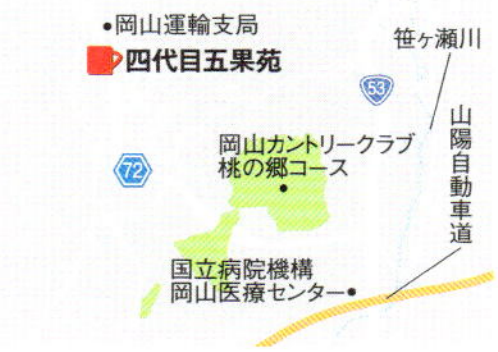

MENU

- 五果苑フルーツカップ ………… 880円
- 白桃ジェラート ………… 440円
- ぶどうミルクかき氷 ………… 990円
- ワッフルプレート ………… 880円
- マスカットスムージー ………… 660円

岡山県産の果物で 珠玉のスイーツを

FRUIT CAFE

パーラー果物小町

倉敷美観地区の一角にある複合文化施設「くらしき宵待ちGARDEN」の中に、岡山県産の果物を満喫できる「パーラー果物小町」がある。店内は「倉敷文華」を感じられるレトロな和洋折衷。店内席のほか、GARDEN席・お座敷席などもあり、施設内の竹林庭園の散策や、ミュージアムの展示も楽しめる。メニューは果物を惜しげもなく使ったスイーツやドリンクの数々。旬の果物を使うため、季節により種類が変わるのも魅力のひとつだ。また、パフェのソフトクリームに45％以上の果汁が使われているのも同店ならでは。自家製カスタードクリームやムースなども、果物の風味を邪魔しないよう甘さ控えめになっている。街歩きの途中に立ち寄り、ぜいたくなひとときを楽しみたい。

1

2

3

1.竹林散策庭園を望む開放的なGARDEN席。夜間にはライトアップもされる 2.フレッシュな旬の果物をふんだんに使った「小町の気まぐれスムージー」各500円 3.県産の白桃丸ごと1個分に清水白桃果汁のソフトクリームをあわせた「岡山白桃のプレミアムパフェ」1,500円～ 4.宝石のような果物とカスタードクリームがたっぷり!「パンケーキ 季節のフルーツ添え」1,000円

4

SHOP INFO

パーラー果物小町《パーラーくだものこまち》

〒 倉敷市中央1-4-22
くらしき宵待ちGARDEN 東棟
☎ 086-425-7733
営 11:00～17:00
（OS16:30※フードメニューのみ）
休 月曜
禁煙
P なし
交 JR倉敷駅から徒歩15分

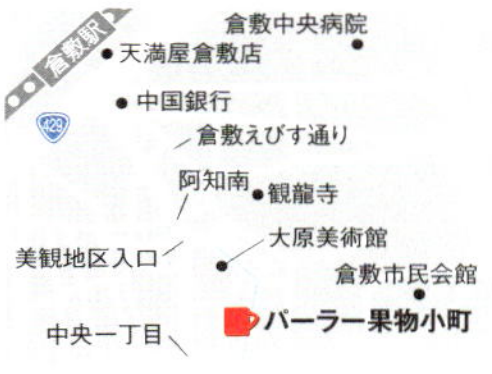

MENU

・小町のフルーツサンド（平日限定）	800円
・蒜山ジャージーミルクのパンナコッタ	900円
・季節のフレッシュフルーツティー（ポットサービス）	600円
・レアチーズケーキ　季節のフルーツ添え	900円
・小町のフルーツタルト	900円
・シトラススカッシュ	500円

選りすぐりの果物を贅沢に使った
フルーツパフェを堪能

FRUIT CAFE

くらしき桃子　総本店

「倉敷美観地区」一帯に4店舗を展開する「くらしき桃子」。「総本店」は大原美術館向かいに店を構えており、連日、多くのファンや観光客でにぎわっている。こちらでは、岡山県産はもちろん全国各地から取り寄せた旬のフルーツを使った多彩なパフェが大人気。江戸時代の蔵を改修したという店舗は2階建てで、アンティーク調の落ち着いた雰囲気が漂っている。1階はカフェスペースに、テイクアウトコーナーや岡山県産の果物を使ったオリジナル商品の販売スペースを併設。2階は全面カフェスペースで、奥の「VIPルーム」では専用サイトから予約をしてアフタヌーンティーを楽しめる。散策途中に、おみやげ探しも兼ねて極上のフルーツパフェをぜひ味わってみて。

1

2

3

1.2階カウンター席からは倉敷川を行き交う川舟も見える 2.スイーツと一緒にオーダーしたいカフェラテ605円は専門店kobacoffeeの豆を使用 3.温室桃のパフェ(5月～6月上旬頃)2,420円。写真の桃は「白鳳」 4.レジ横のショーケースにはテイクアウト用のケーキが常時4～5種類並ぶ

4

SHOP INFO

くらしき桃子《ももこ》 総本店《そうほんてん》

〒 倉敷市中央1-3-18
☎ 086-454-6611
営 10:00～18:00(OS17:30)
11～2月は～17:00(OS16:30)
休 なし
禁煙
P なし
交 JR倉敷駅より徒歩13分

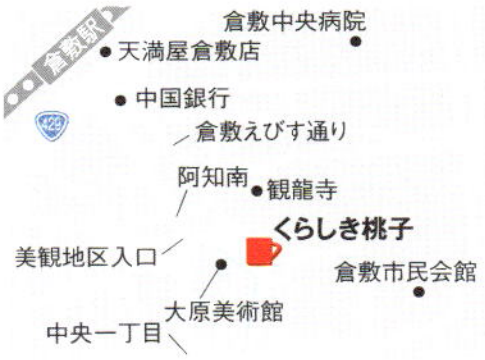

MENU

・ミックスジュース …………………………… 550円
・キウイジュース ……………………………… 605円
・シャインマスカットパフェ ……………… 2,585円
(7月～1月下旬頃)
・いちごパフェ ……………………………… 1,870円
(1月～6月初旬頃)
・白いちごパフェ ………………………… 2,310円
(11月下旬～5月中旬)

Column.

くだもの王国おかやま 旬カレンダー

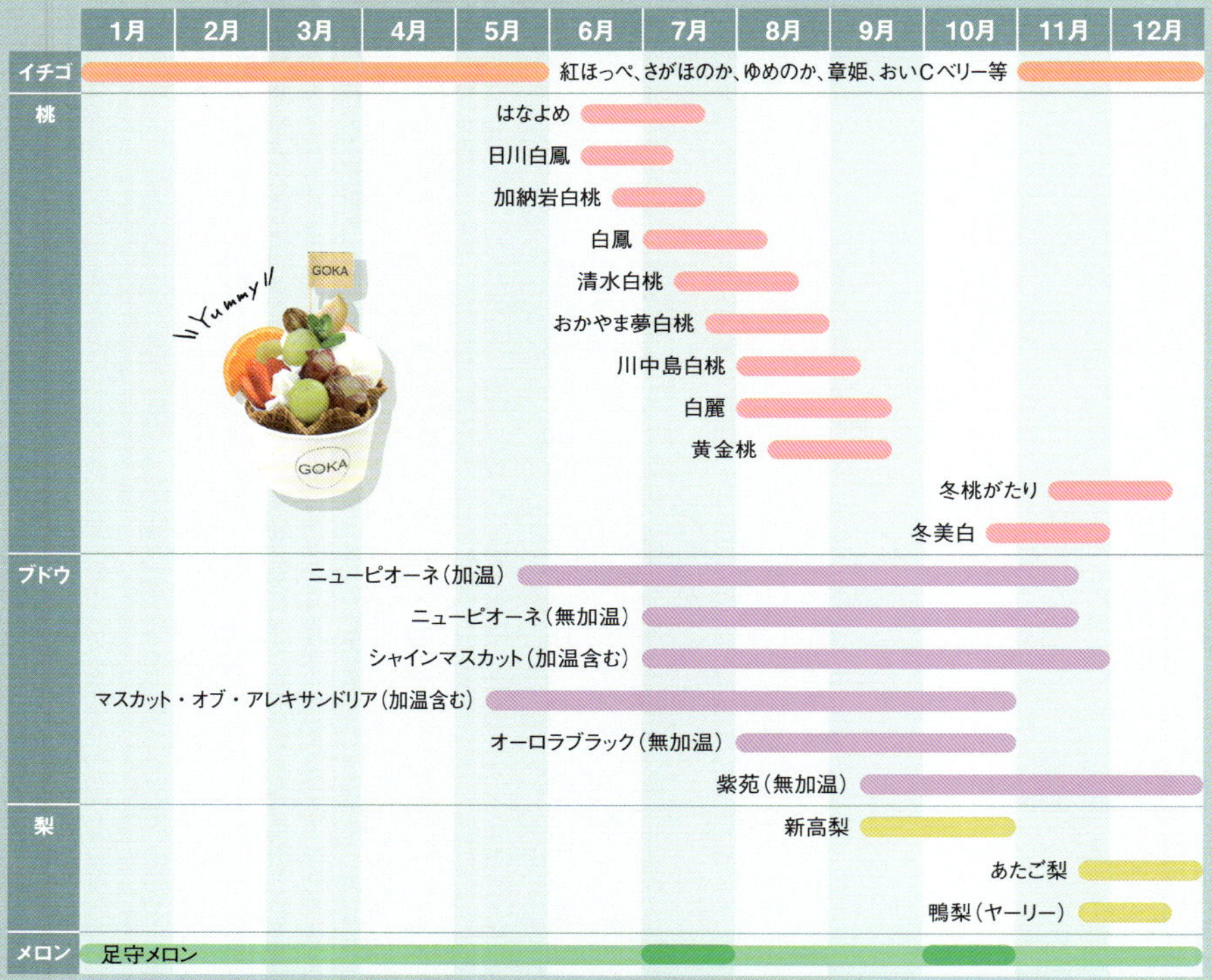

岡山県、岡山市、JA 岡山、JA 晴れの国岡山、全農岡山県本部のホームページの情報を基に作成

降水量１ミリ未満の日が10年平均で２７６・７日（１９９１〜２０２０年。全国平均２４７・４日）と雨量の少ない岡山県。２０２０年の平均気温は16・5度（最高極38・2度、最低極マイナス２・５度）という温暖な気候が特徴で、果物の生産が盛ん。別名「くだもの王国おかやま」と呼ばれるほどだ。

名産品として注目されるのは桃とブドウだが、それだけにあらず。イチゴや梨、マンゴーなども生産されており、特に「足守メロン」と呼ばれるマスクメロンの栽培は１００年以上も前から続いている。

こうした土地柄を生かし、県内の多くのカフェやパティスリーで、旬のフルーツを使ったスイーツをバリエーション豊富に提供。ここ数年は、本書の「フルーツ専門店」特集にあるように、フルーツに特化したカフェや農園経営のカフェも登場している。どのスイーツもその季節だけの特別なものばかり。旬カレンダーを参考に、逃すことなく堪能してほしい。

[倉敷市のカフェ]

KURASHIKI

オールカフェ×タニタカフェ あちてらす倉敷店

オールカフェ×タニタカフェ あちてらすくらしきてん

倉敷市阿知3-13-1 あちてらす倉敷 南館

☎ 086-424-6670
営 11:00～22:00
※14:30～17:00カフェタイム(スイーツとピザのみの提供)17:00～22:00ディナータイム(OS21:00、ドリンク21:30)
休 月曜
禁煙

P 193台(共同・あちてらす倉敷駐車場:※30分ごとに100円。最大料金駐車後12時間ごとに830円)※ランチ・カフェタイム利用で1時間、ディナータイム利用で2時間無料。
交 JR倉敷駅東口から徒歩5分

“健康のプロ”が叶える おいしい×ヘルシー!

1

1.前菜やドルチェなどがセットの「パスタランチ・生ウニと小柱、ウニクリームカルボナーラ『フェットチーネ』」1800円　2.野菜たっぷりなワンプレートランチ　3.『オールラボ』。食後は2種類の機器が無料で利用可　4.かんきつ系のさわやかな酸味があるチーズケーキ

2

3

4

２０２１年10月に誕生した倉敷の新たなランドマーク『あちてらす倉敷』１階のカフェ。広島を拠点に、岡山・島根で多数店舗展開する調剤薬局『オール薬局』が運営する同店のコンセプトは「美味しい・ヘルシー・うれしい」。健康総合企業『タニタ』とコラボした、野菜たっぷりのワンプレートランチのほか、石窯で香ばしく焼き上げるピザ、全粒粉を使用した生パスタ、糖質や脂質を抑えたスイーツなど、食材や調理法、栄養バランスにこだわった多彩なメニューが楽しめる。食後は、店内併設の『オールラボ』で、プロ仕様の計測機器を使って気軽に健康チェックできるのも魅力のひとつ。ＪＲ倉敷駅からすぐという利便性のよさも相まって、レストランウエディングや各種パーティーの場としても人気を集めている。

MAP

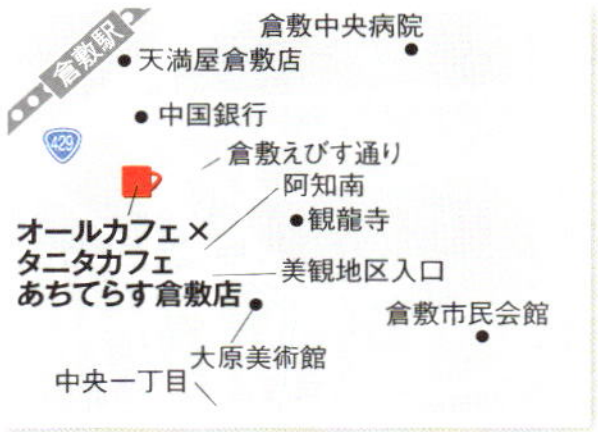

MENU

- 10種類の野菜とプロシュートのシーザーサラダピザ‥　1,500円
- 焼き立てパリパリシュークリーム　‥‥‥‥‥‥　400円
- カベルネボロネーゼと焼き茄子のソース「フェットチーネ」‥‥　1,200円
- ローストビーフワンプレート　‥‥‥‥‥‥‥‥　1,400円
- 自家製ドライトマトとモッツァレラのジェノベーゼ「タリオリーニ」‥　1,500円

フューチャーヒャクカフェ

ふゅーちゃーひゃくかふぇ

倉敷市鶴形1-4-22 M三原マンション1階

[TEL] 086-423-1011
[営] 7:00～18:00（OS17:00）
[休] 金曜
[禁煙] 禁煙
[P] なし
[交] JR倉敷駅から徒歩10分

自由&リラックス
街角のギャラリーカフェ

1.朝一番に焼く「ホットケーキ」550円。ドリンクセットは750円　2.店主の好きなものがフューチャーされた落ち着きのある空間　3.フレンチローストのコーヒーゼリーに生クリームをたっぷりトッピングした「コーヒーゼリー」600円　4.甘いチョコとラズベリーの酸味が好相性の「ラズベリーパフェ」750円

倉敷の中心部にある紅茶やスイーツが自慢のおしゃれカフェ。店主の渡辺さんが「自分の好きなものを集めた場所」と語る店内には、雑誌や絵本、雑貨、食器、Tシャツなどが並ぶ。雑然としたなかにもこだわりが感じられ、不思議と居心地がよい。通勤客が集う朝7時からの「モーニングプレート」は、クロックムッシュ（ハーフ）、ビスケット、ドリンク付きで500円。定番人気のフレンチトーストやホットケーキ、季節のパフェやケーキも女性客の心をしっかりつかんでいる。東京・田園調布「ティージュ」の高級茶葉を使用するこだわりの紅茶や、エスプレッソコーヒーとともに味わいたい。

　気さくな渡辺さんは、スイーツやクラフトの作り手との交流も広く、定期的に展示販売のイベントも開いている。

MAP

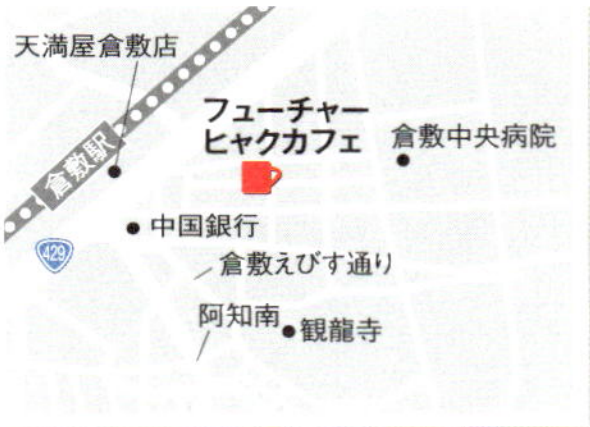

MENU

- モーニングプレート ……………… 500円（7:00〜10:00）
- フレンチトーストドリンクセット …… 880円
- チョコレートケーキドリンクセット …… 800円
- こうちゃ ……………………… 650円（アイスは500円）
- テイクアウトのカフェラテ ……… 600円（アイスは630円）

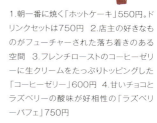

café 庭

カフェ にわ

倉敷市老松町3-14-45

☎ 080-7459-0572
営 11:00～21:00(OS20:00)
※17:00以降は予約のみ(前日まで)
休 日曜
禁煙
P 7台
交 JR倉敷駅から徒歩15分

庭をめで、文学を楽しみながら
パティシエの自信作に舌鼓

1.カウンターやソファなど、さまざまなスタイルで過ごせる店内 2.店主お気に入りの庭 3.まるで生チョコレートを食べているかのような食感のガトーショコラ 4.外はザクッ、中はしっとりとしたカヌレなどの焼き菓子は1つ130円〜。好きなものを選ぶとアフタヌーンティー仕立てでもてなしてくれる

築約60年の古民家でのんびりと過ごせるカフェ。「庭を眺めて過ごすのが好き」という店主が「庭が決め手だった」と話す通り、どの部屋からも手入れの行き届いた庭を眺めることができる。

おすすめは新メニューの「クレーム・ランヴェルセ」。長年フランス菓子を手がけてきた店主が、基本に立ち返りつつ、おいしさを追求して完成させたプリンで、スプーンを入れるとしっかりとした手応えがあるのに、口当たりはとても滑らか。不思議な感触が忘れられない一品だ。

2017年のオープンから5年を迎えたのを機に店内をプチリニューアル。店主の愛読書が並ぶ本棚を設置した。2022年秋には店名もカフェ「庭とブンガク。」に変更。気に入った一冊を片手に“文学気分”を楽しみたい。

MAP

MENU

- クレーム・ランヴェルセ ……… 1,200円
- なめらかプリン ……… 550円
  ※持ち帰りは320円
- ガトーショコラ ……… 550円
  ※持ち帰りは380円
- チーズケーキ ……… 550円
  ※持ち帰りは380円
- Cafe庭ランチ（メイン、小鉢4品、みそ汁、ご飯）…… 1,100円〜

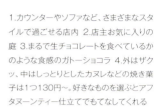

Cafe

Haruta

カフェ ハルタ

倉敷市水江1－17

☎ 086-454-4709
営 11:00～18:00
休 金曜、第2·4土曜
禁煙
P 店前3台、
近隣契約駐車場5台
交 JR倉敷駅から車で7分

木漏れ日の差すカウンターで
自家製パンとケーキを楽しんで

1.バジルとマスカルポーネチーズトーストの「Aセット」1,375円。バジルペーストの香りとトロトロのチーズの相性抜群 2.店内のあちこちに飾られたドライフラワーが優しい雰囲気を演出 3.自家製のカンパーニュを使ったタルティーヌ、自家製酵母のキッシュ、天然酵母のベーグルはテイクアウトもOK 4.「満月」のブランド卵を使用した「カラメルプリン」583円

イオンモール倉敷のすぐそば、三角屋根に丸い窓がかわいい「ハルタ」。カウンター席多めの店内は、白い壁にドライフラワーが飾られ落ち着いた雰囲気。友達と語り合うもよし、一人でのんびりするのもよし、思い思いの過ごし方ができるのが魅力だ。

開店と同時に続々と訪れる客の目当ては、パンと週替わりのスープ、副菜、ドリンクのセット。ベーグルやカンパーニュを使ったタルティーヌ、食パンのトーストから好きなものを選べる。パンはいずれも自家製で、種類により天然酵母と自家製酵母、小麦粉を使い分けるというこだわりの逸品。単品やテイクアウトでも楽しめる。

自家製チーズケーキ、カラメルプリン、パフェなどスイーツも充実。3種の豆から選べるハンドドリップコーヒーと共に味わって。

MAP

MENU

- ・Aセット（パン+スープ+副菜+ドリンク）‥‥1,188円～
- ・自家製チーズケーキ／チョコレートケーキ‥‥各440円
  ※ハーフ&ハーフは583円
- ・カラメルプリン‥‥‥‥‥‥‥‥‥583円
- ・アフォガート‥‥‥‥‥‥‥‥‥572円
- ・パフェ2種‥‥‥‥‥‥‥‥‥各858円
- ・コーヒー3種‥‥‥‥‥‥‥‥各473円

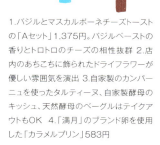

沙美カフェ

しろ

さみカフェ　しろ

倉敷市玉島黒崎4795

- ☎ 090-3173-6020
- 営 9:00〜17:00
  ※売り切れ次第終了
- 休 火、水曜
- 禁煙
- P なし
  ※近隣に無料駐車スペースあり
- 交 JR新倉敷駅から車で20分

瀬戸内海を一望する
絶景古民家カフェ

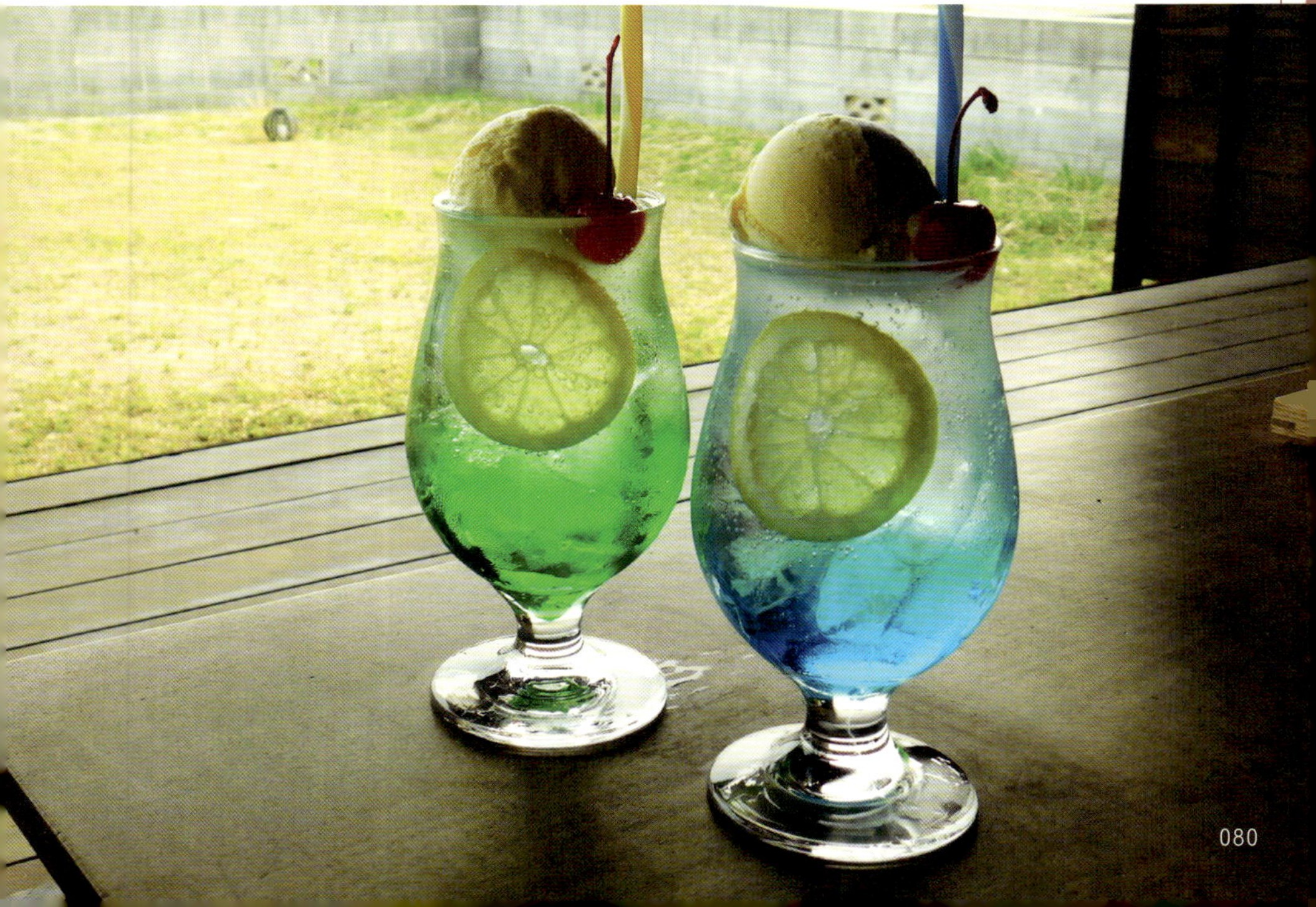

1.瀬戸田産のレモンを使ったチーズケーキ。さわやかな酸味が後を引く 2.石造りのアーチから続く緑のアーケードがお出迎え 3.陶器やガラス細工の皿やカップ、アクセサリーなどが置かれた雑貨スペース 4.瀬戸内海を眺めながら、畳の上でのんびりとくつろいで

築約120年の古民家を再生した『沙美カフェ しろ』。「日本の渚百選」にも選ばれた沙美海岸を一望できる絶景のロケーションのなか、心尽くしのスイーツが楽しめる。京都の老舗から取り寄せた抹茶を贅沢に使用したバスクチーズケーキ、さわやかな色合いのクリームソーダ、特製シロップで味わうかき氷など、季節替わりのスイーツが用意されている。また夏季以外はピザも登場。高温で焼き上げるサクもち食感の生地は、冷めてもおいしいと評判だ。

趣ある古道具のテーブルやイスが配置された店内に彩りを添えているのが、センスのいい雑貨の数々。作家の手による一点ものを中心にそろえられており、購入もできる。時間や季節によって表情を変える瀬戸内の海を眺めつつ、非日常のひとときを。

MAP

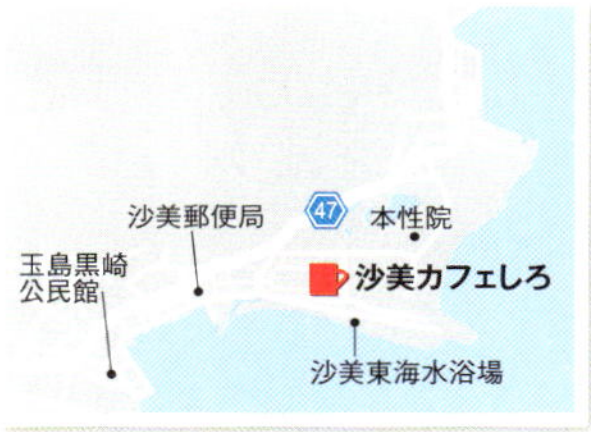

MENU

- 抹茶バスクチーズケーキ …………………… 480円
- 瀬戸田レモンケーキ ………………………… 550円
- クリームソーダ(各種) …………………… 650円
- かき氷(各種、夏季限定) ………………… 880円～
- ピザ(夏季以外) …………………………… 880円～

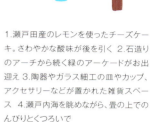

72cafe

ナツカフェ

倉敷市新田3219-3

- 📞 086-441-7720
- 営 11:15~21:00(ランチOS15:30、カフェ・ディナーOS20:30)
- 休 木曜
- 禁煙
- P 25台
- 交 JR倉敷駅から車で15分

「非日常」空間で多彩なメニューを満喫

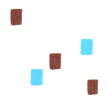

1.「72styleアイスコーヒーミルクセパレート」640円。手前は「クレセントラグーン」 2.「the ショコラ」1,470円 3.毎月変わるパフェの一例。白玉、わらび餅、ナッツなど、和洋の味が楽しめる 4.本日のパスタ料理

少数精鋭の建築スペシャリスト集団・意匠堂がプロデュースするレストランカフェ。アジアンやヨーロッパテイストなど、席ごとに趣が異なる店内は、非日常感が漂うラグジュアリーな雰囲気。15種以上のスイーツ、30種以上のドリンクといった豊富なカフェメニューだけでなく、フレンチとイタリアンのシェフが手掛ける本格的なランチやディナー、アラカルトメニューもそろう。旬の素材を使った月替わりのパフェや、生チョコをぜいたくに使った人気デザート「theショコラ」、目にも鮮やかなノンアルコールカクテル「クレセントラグーン」など、素材へのこだわりやシェフの遊び心が感じられるメニューの数々を目と舌で楽しんで。コーヒー1杯の普段使いから特別な日のデートや女子会まで、さまざまなシーンで訪れたい。

MAP

MENU

- 毎月変わる72パフェ ……… 980円～
- ランチ ……… 1,980円～
- パティシエ特製オリジナルデザート ……… 780円～
- ガーリックシュリンプ ……… 1,460円
- 72cafeオリジナルカヌレ ……… 190円
- クレセントラグーン ……… 630円

CAFE&RESTAURANT

TENTOMUSHI

てんとうむし

倉敷市広江2-6-1

☎ 086-455-0863
営 8:00～17:00(OS16:30)※予約をすれば17:00～ディナー対応も可能
休 水・木曜
禁煙
P 10台
交 水島ICから車で約7分

おいしくてヘルシー!
本格派メニューを満喫

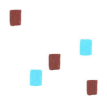

1.人気のモーニング「てんとうむしスタイル」の一例　2.愛らしい雑貨や食材が並ぶ販売コーナーも　3.オープン当初からの人気スイーツ「コーヒーゼリーパフェ」　4.「国産和牛ランチ」2750円のメイン・国産和牛のロティ

「体にやさしい」をコンセプトに、おいしさはもちろん、バランスのよさも追求したヘルシーなメニューが人気のカフェレストラン。著名ホテルで腕を磨いたオーナーシェフが手掛けるメニューはどれも本格的な味わい。彩り豊かで栄養たっぷりのモーニングは、ドリンクにベーコンエッグ、トースト、サラダが付く「シンプルスタイル」(ドリンク料金+２７５円)と、さらにスープやフルーツヨーグルトも付く「てんとうむしスタイル」(ドリンク料金+４４０円)の2種を用意。新鮮野菜や瀬戸内の魚介など、地元の旬の味覚が堪能できるランチや、コーヒーゼリーの下に自家製バニラアイスを忍ばせた「コーヒーゼリーパフェ」、ケーキとアイスが両方楽しめる「本日のデザートプレート」といった手作りスイーツも好評だ。

MAP

MENU

- モーニング …………………………………… 770円～
- コーヒーゼリーパフェ ……………………… 660円
- 本日のデザートプレート …………………… 990円
- 本日のアイスクリーム ……………………… 550円
- カフェクラウド(ホット／アイス) ………… 各605円
- ランチ ………………………………………… 2,035円～

Sunny Pantry

サニー パントリー

倉敷市福江753-1

☎ 070-8592-2196
営 13:00〜17:00
※月1回月・水曜を営業
休 日〜木曜
禁煙
P 10台
交 水島ICより車で約5分

カカオを愛する

倉敷のBean to bar

1.工房でチョコレート作りに力を注ぐ加藤夫妻　2.ココナッツミルクの自家製練乳やカカオニブのシロップたっぷりの「カカオ蜜氷」600円～　3.きび砂糖やアーモンド、カシューナッツで優しい味に仕上げた「カカオドリンク」　4.好みの焼菓子を好みの量だけ買える

京都の「DariK」で経験を積んだパティシエの加藤夫妻が、2021年2月に開店。「環境や健康に優しいチョコレートを」と、チョコやナッツ、ドライフルーツ、パスタ、スパイスを量り売りする。また、喫茶スペースで、カカオ豆から作ったスイーツや、「カカオドリンク」などの自家製ドリンクもイートインできる。チョコレートやスイーツは、カカオ豆を吟味し、多くの工程を経た手作り。ほかの素材も植物性でグルテンフリーのものや、できる限り有機栽培のものを使用するそう。「マイルドなチョコレートをベースに、きび砂糖や太白ごま油などを使ってお子さんにも食べやすい味を目指しています」と奥さま。「カカオアイスクリーム」や、カカオの香ばしさを堪能できる「カカオ蜜氷」(夏季限定)600円～もぜひ味わってみたい。

MAP

MENU

- カカオドリンク ………………… 500円
- カカオアイスクリーム …………… 250円
- ナッツショコラ ………………… 15円／g
- 米粉チョコクッキー1枚 ………… 150円
  (1袋2枚入り320円)

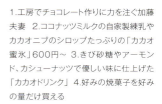

chillda CAFE&SHARE

ちるだ

倉敷市児島田の口1-8-15

☎ 070-8340-0497
営 9:00～17:00
（OS16:30）
休 火・水曜

禁煙
P 10台
交 バス停「西明石」より
徒歩2分

レトロな蔵カフェで
ランチやスイーツを

1.オリジナルコーヒーを使用した自家製ティラミスは大人の味　2.オーナー母娘と姪が切り盛りするアットホームな雰囲気が人気の秘密　3.1階にはカウンター席があり、お一人様も歓迎！　4.おむすびの「和モーニング」780円とパンの「洋モーニング」600円は11:00まで提供

児島田の口エリアに、2021年12月にオープン。オーナーと娘さん、姪が仲良く営むアットホームな店だ。織物会社の蔵を改装した店内は、アンティーク風の家具や雑貨、ランプで彩られたレトロかわいい雰囲気。朝9時から提供するモーニングは、和と洋の2種類。地元のみならず遠方から訪れる人も多いそう。昼は、塩麴を使用した「日替わりランチプレート」や、スパイシーで優しい味わいの「日替わりカレー」などが味わえる。また、日替わりの「本日のスイーツ」をはじめ、カフェメニューも充実。なかでも週末限定のパンケーキは、ふわふわで中はしっとり。「ベリーベリー」や「キャラメルナッツ」など5種類あり、写真映えするとあって、行列必至の人気だ。温かみのあるノスタルジックな空間で、スローな時間を過ごしたい。

MAP

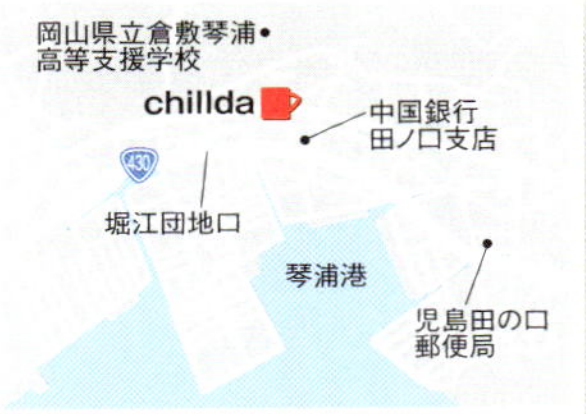

MENU

- chilldaコーヒー豆を使用したティラミス……400円
- パンケーキ各種……700円～
（金・土・日曜14:00～17:00限定）
- 日替わりカレー……900円
（11:00～14:00 OS13:30）
- 日替わりランチプレート……900円
（11:00～14:00 OS13:30）
- カフェオレ……550円

HÜTTE

ヒュッテ

倉敷市児島赤崎1754-3

☎ 086-473-3336
営 11:30〜14:30
(OS14:00)※完全予約制
休 水、木曜、第1、第3、第5日曜

禁煙
P 20台
交 児島ICから車で5分
JR児島駅から車で5分

緑豊かな丘の上の
隠れ家カフェで非日常のときを

1.毎日食べても飽きがこない、優しい味わいにほっこり　2.陶芸家ドン・パーカー氏が制作したカップ。一個2,600円～　3.遊び心満載の手作り時計　4.手作りの時計やアート作品が随所に飾られた店内

取っ手にトンカチをあしらった扉、質感の異なる素材を組み合わせた手作りの時計、酒樽の底を再利用した重厚感のあるテーブル、コツコツと靴音の響く木の床…。童心を呼び覚ましてくれるようなワクワクが詰まったカフェ『HÜTTE』。小高い丘の上にひっそりと佇む隠れ家のような同店の名物は、約25種類の野菜が取れる「野菜いっぱいヘルシーランチ」1300円。煮物や揚げ物、和え物など、9種類のおかずが味わえる。素材に合わせて調理法や味付けを変え、手間暇かけた優しい味わいに魅了されること請け合いだ。

店内を彩るカップやアート作品はすべて陶芸作家の手による一点もの。購入も可能なので、食後はじっくり手に取りお気に入りのひと品を見つけてみては？完全予約制なのでご注意を。

MAP

MENU

・「野菜いっぱいヘルシーランチ」…………… 1,300円
※ドリンク+デザート付き1,500円、ドリンクまたはデザート付き1,400円
・各種デザート ………………………… 350円
（例／カボチャのプリンケーキ、白玉ぜんざい、ガトーショコラなど）
・各種ドリンク…………………………… 350円
※完全予約制（当日予約可）

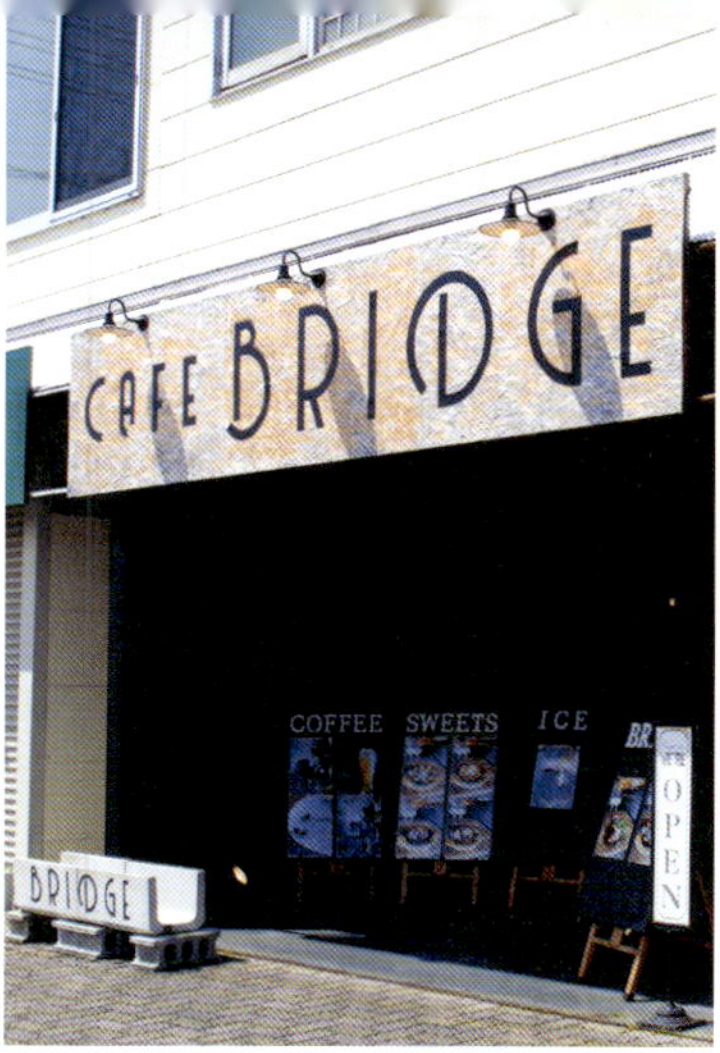

CAFE BRIDGE

かふぇ ぶりっじ

倉敷市真備町有井94

☎ 080-7102-9785
営 11:00〜17:00(OS16:30)
※ランチは11:00〜14:00
休 火曜

禁煙
P 共同で50台
交 井原鉄道井原線
川辺宿駅より車で5分

好みに合わせて店主が入れる、
オーダーメードのコーヒーを

1

1.ご飯を自家製ローストビーフで包んだ「BRIDGE飯」1,290円。ドリンクとセットにすれば300円引きになる 2.店内にあるアンティーク調の家具は、店主が趣味で集めたもの 3.ワイングラスで提供される「アイスコーヒー」550~650円 4.旬のフルーツを使用した「季節のパフェ」1,050円~。(写真は「すみれとレモンの夏パフェ」)

2

3

4

倉敷市真備町の閑静な郊外にある『CAFE BRIDGE』。モルタル調の壁と薄暗い照明がインダストリアルな雰囲気をかもし出す。そんな同店一番の特徴は、「アイスコーヒー」がワイングラスで飲めること。コーヒーの口当たりや色、香りに合わせた形のグラスで提供される。また、コーヒーは全てオーダーメードとなっており、苦味や甘味など飲みたいイメージを伝えれば、店主・竹内さんが好みに合わせた一杯を入れてくれる。一人ひとりに合った味わいに調整してもらえるので、初心者でも安心だ。他にも、ランチメニューの「BRIDGE飯」や「ロコモコ」も人気があり、コーヒーとの相性もよいと好評を博している。落ち着いた隠れ家のような店内で、ゆったりとカフェタイムを楽しんで。

MAP

MENU

・ホットコーヒー	500~600円
・アイスコーヒー	550~650円
・自家製レモンスカッシュ	550円
・BRIDGE飯	1,290円
・ロコモコ	1,100円

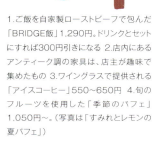

Special

特集

自家焙煎珈琲の店

店それぞれの個性が光る!

昔懐かしいレトロ喫茶で 店主こだわりの焙煎珈琲を

HOME-ROASTED COFFEE SHOP

ONSAYA COFFEE 奉還町本店

岡山市の奉還町商店街に佇む、洋装店だった店舗をリノベーションしたレトロなカフェ。店舗に入ると、すぐ左手に見える年季の入った焙煎機がひときわ大きな存在感を放つ。店主の東さんが豆の表面を見て様子を確かめながら、毎日丁寧にじっくり焙煎している。使用する豆のほとんどは、実際に海外の産地まで赴き、味見をした上で取り寄せたもの。店内では豆の販売も行っており、気になる際は実際に試飲して選ぶことができる。

コーヒーとあわせてオーダーしたいのは「自家製バターのプレーンワッフル」。サクサクとしたシンプルな生地の食感を楽しめる人気の一品だ。どこか昔懐かしさを感じる店内で、時間を忘れてのんびり過ごせそう。

1

2

3

1.同店はワンドリンクオーダー制。「自家製バターのプレーンワッフル」はドリンクとセットで460円　2.商店街に面した2階のカウンター席も人気　3.焙煎機により、浅いりから深いりまで幅広い焙煎度に対応　4.焙煎した豆は店内でも販売しており、試飲も可能

4

SHOP INFO

ONSAYA COFFEE 奉還町本店《おんさや こーひー ほうかんちょうほんてん》

〒 岡山市北区奉還町2-9-1
☎ 086-252-1103
営 11:00～18:00(OS17:30)
※ワッフルはOS17:00
休 不定休
禁煙
P なし
交 JR岡山駅西口から徒歩5分

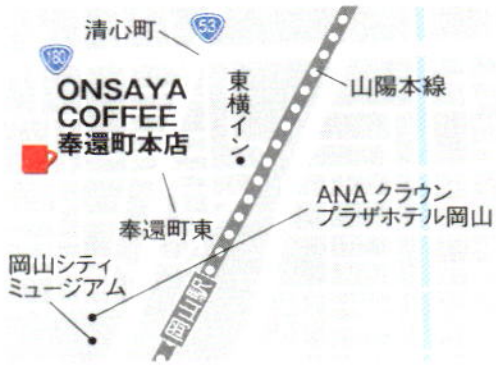

MENU

・本日のコーヒー	490円
・カフェオレ	530円
・ミックスジュース	650円
・プレーンワッフル	460円（セット価格）
・ベイクドチーズ	420円（セット価格）

焙煎士が厳選した味と香りを存分に楽しんで

HOME-ROASTED COFFEE SHOP

THE COFFEE HOUSE 大供本町店

岡山市役所にほど近いエリアにある「ザ コーヒーハウス」。足しげく通うコーヒー好きをはじめ、幅広い層に支持されるカフェだ。また、岡山でカフェや喫茶店を7店舗展開する「キノシタショウテン」の2号焙煎所でもあり、店内の焙煎機で、焙煎士厳選の豆を、香りがひきたつよう丁寧に焙煎している。カフェではその日おすすめのコーヒーを、フレンチプレスやハンドドリップなど、さまざま抽出方法でオーダーでき、豆を指定することも可能。フードメニューも多彩で、人気の「BLETサンド」は、カリカリのベーコンと岡山県産の野菜がたっぷりで、パワーランチに最適だ。日替わりのケーキなどスイーツも豊富なので、友人や家族と一緒に、あるいは一人でリラックスしたい時など、シーンに合わせて通いたい。

1

2

3

1.「BLETサンド」(8:00〜)1100円。野菜たっぷりのサラダとドリンク付　2.ドリンク付の「本日のケーキセット」1,056円。写真の「煎茶のガトーショコラ」は、ほろ苦さと甘さが絶妙　3.店内には焙煎所も併設　4.「本日のコーヒー」550円〜。備前焼などのカップで楽しめる

4

SHOP INFO

THE COFFEE HOUSE《ザ コーヒーハウス》 大供本町店《だいくほんまちてん》

〒 岡山市北区大供本町708-8
☎ 050-1485-8864
営 8:00〜22:00(OS22:00)
※第2・第4木曜は〜20:00(OS19:30)
休 なし
禁煙
P 10台
交 JR大元駅から徒歩11分

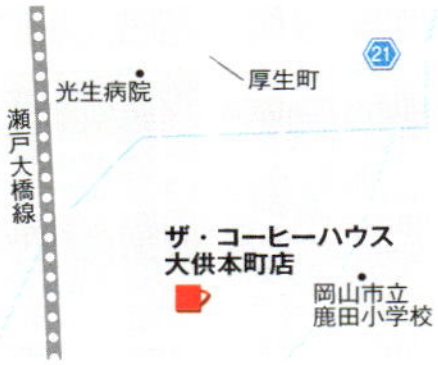

MENU

・オムレツサンド(10:00〜／サラダ・ドリンク付) ‥‥‥ 1,056円
・スイーツセット(ドリンク付) ‥‥‥‥‥‥‥‥‥‥‥ 990円
・ホットケーキセット(14:00〜／ドリンク付・数量限定)‥ 1,320円
・ミックスジュース‥‥‥‥‥‥‥‥‥‥‥‥‥‥‥‥‥ 660円

毎日飲んでも飽きない、「普遍的なコーヒー」を提供

HOME-ROASTED COFFEE SHOP

BESSO COFFEE

レンガ調の壁などを取り入れ、ニューヨークのブルックリンにあるカフェをイメージした店内で、品質の良いスペシャルティコーヒーを楽しめるカフェ。店主・別曽さんの「毎日飲んでも飽きのこないコーヒーを」という思いから、クセが少なく味わいに雑味のないコーヒーを提供している。日本人に好まれることが多い深いりの豆をはじめ、さまざまないり具合の豆を用意。好みに合った焙煎度のコーヒーを味わうことができる。

コーヒーと一緒にオーダーしたいのが「ホットドッグ」。自家製パンにジューシーなソーセージとピクルスを挟み、フライドオニオンをまぶしたボリューミーな一品だ。まろやかな味わいのコーヒーとあわせて注文してみて。

1

2

3

1.店舗横にあるテラス席は、外の空気を感じながらリラックスできる 2.人気の「ホットドッグ」702円は「ホットカフェラテ」486円などのドリンクと一緒に頼むと100円引きに 3.店内の焙煎機で、さまざまな度合いの焙煎を行う 4.口に入れた瞬間にとろける食感がクセになる「チーズケーキ」454円

4

SHOP INFO

BESSO COFFEE《べっそ こーひー》

〒 岡山市北区田中119-101
☎ 086-941-7431
営 11:00〜19:00
休 火曜
禁煙
P 共同で60台
交 JR北長瀬駅から車で10分

MENU

- 本日のコーヒー(Hot/Ice) ・・・・・・・・・・・・・・・・ 454円
- バナナジュース ・・・・・・・・・・・・・・・・・・・・・ 454円
- フルーツミックススムージー ・・・・・・・・・・・・・・ 594円
- カヌレ ・・・・・・・・・・・・・・・・・・・・・・・・・ 108円
- バターマフィン ・・・・・・・・・・・・・・・・・・・・・ 302円

倉敷の町家でゆるりと
オリジナルブレンドを

HOME-ROASTED COFFEE SHOP

kobacoffee

倉敷川沿いの町家を生かした複合スペース「クラシキ庭苑」の一角。緑美しい中庭を眺める1階、ハンギングチェアが揺れる特別席の2階と、異なるテイストの空間で、コーヒーやスイーツが楽しめる。美観地区の名店「倉敷珈琲館」で修業した焙煎士の店主・小林さんが豆の味を最大限引き出すよう焙煎。ドリップ、サイフォン、フレンチプレスと好みの入れ方を選べ、味わいの違いが楽しめる。おすすめは、マンデリンやイエメン産のモカなどをブレンドした「ほろにが」。また、8色あるカラフルな「クリームソーダ」、定番人気の「コーヒーゼリー」、自家製「レモンスカッシュ」などサブメニューも充実。倉敷らしい情趣のある空間で、香り高いコーヒーとともに日常のリセットタイムを。

1

2

3

1.赤と白のラブリーな「特別席」はカップルに人気（2階はアフタヌーンティーの予約者優先） 2.話題の「クリームソーダ」650円。「推し」カラーを頼んで写真を撮る人も多いとか 3.焙煎歴20年の小林恭一さん 4.ふんわりしっとりとした「シフォンケーキセット」はドリンク付き1,000円

4

SHOP INFO

kobacoffee《こばこーひー》

- 〒 倉敷市本町5-27
- ☎ 086-425-0050
- 営 11:00〜17:00
  金・土曜は〜22:00
- 休 火曜　※祝日は営業
- 禁煙
- P なし
- 交 JR倉敷駅から徒歩20分

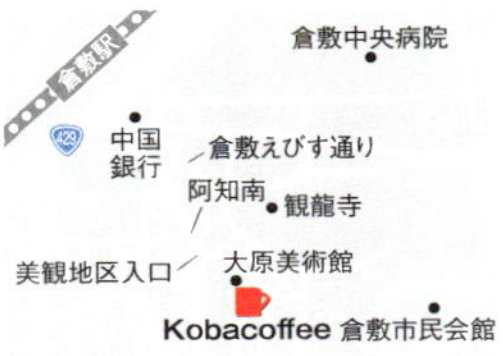

MENU

・倉敷ブレンド	580円
・ストレートコーヒー	580円
・ノンカフェインコーヒー	580円
・コーヒーゼリー	580円
・レモンスカッシュ	550円

Column

今、和スイーツがアツい！
老舗和菓子店の挑戦

ニュースやSNSなどで「若者の和菓子離れ」が話題になっている。老舗和菓子店が廃業に追い込まれることがあるほどだ。

こうした状況を受け、全国各地で老舗和菓子店が工夫を凝らした取り組みを展開。練り切りをかわいらしい動物の形にしてみたり、切る位置によって異なる絵柄が断面に浮かぶようかんを作ってみたり…。伝統的な技法を生かしつつ、〝映える〟和菓子が続々と登場している。

岡山でも、創業50年を超える老舗和菓子店のいくつかが挑戦を始めている。本書ではその中から、明治14（1881）年創業の山脇山月堂が参画する「豆と餅」、昭和23（1948）年創業の竹久夢二本舗敷島堂が運営する「シキシマドウノカフェ」を紹介。このほか、天保8（1837）年創業の大手饅頭伊部屋、安政3（1856）年創業の廣榮堂などもカフェをオープンしている。

各店ともスタイリッシュな空間で和菓子とそれに合うこだわりのドリンクを楽しめる店ばかり！　ぜひ一度、足を運んでみてほしい。

[その他郊外のカフェ]

OTHERS

FRUIT HOUSE

フルーツハウス

赤磐市五日市274

☎ 086-956-4300
営 9:30〜18:30（5〜8月末）、
9:00〜18:00（9〜4月末）
休 不定休　※HPのカレンダーを確認
禁煙　※テラス席は喫煙可
P 30台
交 JR瀬戸駅から車で約10分

旬の果実を知り尽くした
農園直営の人気カフェ

1.冬と春はイチゴを使った甘く香ばしい「クロワッフル」620円が人気　2.お土産に最適なフルーツ商品がズラリ　3.「桃のミルクスムージー」720円　4.季節のフルーツソフトクリームは、濃厚なのに後口さっぱり

地元でフルーツの栽培を行う「吉井農園」が手掛けるカフェ。自社栽培のイチゴやモモをはじめ、メロンや岡山産のシャインマスカット、ピオーネ、栗などをふんだんに使った季節替わりのスイーツやドリンクを提供している。一年で最もおいしい時期の新鮮なフルーツをぜいたくに味わえるのは、農園直営のカフェだからこそ。パフェや「クロワッフル」はもちろん、気軽にテイクアウトできるソフトクリームやスムージーも大人気。店内は広く開放感があり、芝生のベンチや屋根付きテラスといったオープンエアの空間と合わせて、ゆったりと季節の味を楽しめる。地元産のフルーツを購入できるショップを併設し、フルーツを使ったジャムやジュースなどの加工品、お菓子も販売している。

MAP

MENU

- ・クロワッフル（旬のフルーツ・チョコバナナ）‥‥ 各620円
- ・フルーツパフェ・ストロベリー（冬～春）‥‥ 1,080円
- ・フルーツパフェ・メロン（夏）‥‥‥‥‥‥‥‥ 1,320円
- ・ソフトクリーム（旬のフルーツ）‥‥‥‥‥‥ 580円
- ・桃のミルクスムージー‥‥‥‥‥‥‥‥‥‥ 720円
- ・プレミアムゆずジンジャー‥‥‥‥‥‥‥‥ 480円

発酵cafe　めぐり

はっこうカフェ　めぐり

瀬戸内市牛窓町鹿忍641

- 070-8525-0503
- 営 11:00～15:30（OS14:30）
- 休 火・水・木・金曜
- 禁煙
- P 7台
- 交 バス停「鹿忍中」から徒歩6分

体と心を優しく満たす 発酵ランチとスイーツ

1.風味豊かな総菜と酵素玄米が楽しめる「めぐりランチ」1,300円 2.自家製のみそや塩麹、甘酒は購入可 3.「りんごのクランブルチーズケーキ」450円 4.「苺の和三盆ロールケーキ」と自家焙煎のコーヒー各450円

昔ながらの発酵食の魅力に目覚めた店主が、「体に優しくおいしい食を届けたい」と始めた発酵食づくしのカフェ。自然栽培された旬の地元野菜を取り入れ、自家製のみそや麹、酒粕などの発酵調味料でアレンジした週替わりのランチが味わえる。3日かけて熟成させたモチモチの酵素玄米のほか、食材のうまみを生かした総菜やみそ汁、漬物などの料理は、手間暇かけて作られる栄養満点のものばかり。焼菓子には米粉を使い、甘酒や麹で優しい甘みと軽い口当たりに仕上げている。古民家を改装した店内には座敷とテーブル席があり、子ども連れでも気兼ねなく過ごせるのがうれしい。テイクアウトできる弁当や焼菓子のほか、併設の蒸留所で作る精油や蒸留水、アクセサリーも販売している。

MAP

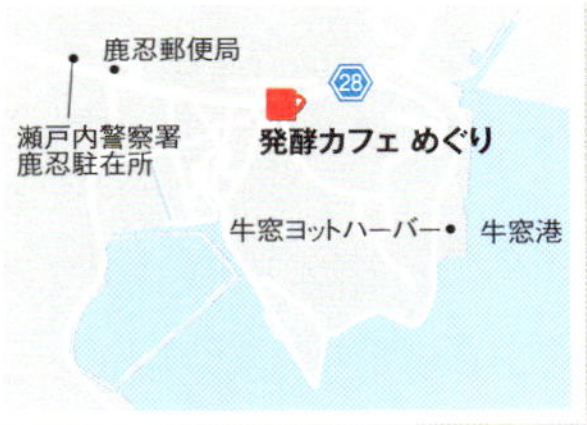

MENU

- めぐりランチ(ハーフ) ………………… 850円
- 苺の甘酒シフォンケーキ ………………… 300円
- 苺の和三盆ロールケーキ ………………… 450円
- オーガニックレモネード ………………… 500円
- 苺の甘酒豆乳スムージー ………………… 600円
- 有機和紅茶 ………………… 450円

t2 Lab.

ティーツーラボ

小田郡矢掛町矢掛2584

0866-82-2818
営 11:00～16:00(OS15:50)
休 木曜
禁煙

P なし
交 ※近隣に無料駐車場あり
井原鉄道矢掛駅から徒歩
10分。鴨方ICから車で15分

映え過ぎる?!
創作団子にキュン!

1

2

3

4

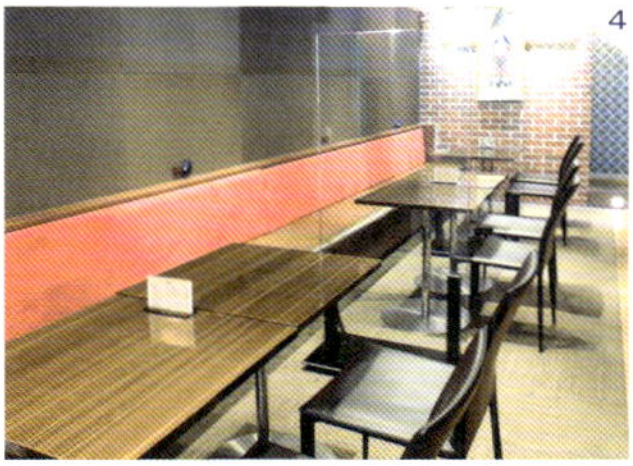

1.窓の向こうには風情ある庭が。内装は建築・インテリアのプロであるオーナー自らがデザイン 2.年月を重ねた和ダンスをテーブルとして活用 3.枡の中身は抹茶のティラミス。抹茶の苦みを効かせた大人な味 4.畳を利用した壁が美しい

畳地を貼った壁、スタイリッシュな脚長のチェア、あめ色に使い込まれた和ダンス…。和と洋、新と旧が絶妙なバランスで融合し、唯一無二の空間を生み出している『ｔ２Ｌａｂ.』。メニューもまた、枡を器にしたティラミス、ボリューム満点のハンバーグ、ハンバーガーやピザなど、意表を突くラインアップで楽しませてくれる。

なかでも同店の人気を不動のものにしているのが、かつて参勤交代の宿場町として栄えた地元・矢掛町にちなんだ創作団子だ。大名行列をイメージした9種類の団子がセットの「だんご行列（元祖）」をはじめ、ひとつ１２０円から楽しめる「クリームソーダ玉」「マカロン玉」など、常時24種類が楽しめる。２０２２年2月には東京にも進出。地元が誇る人気店の味をぜひ。

MAP

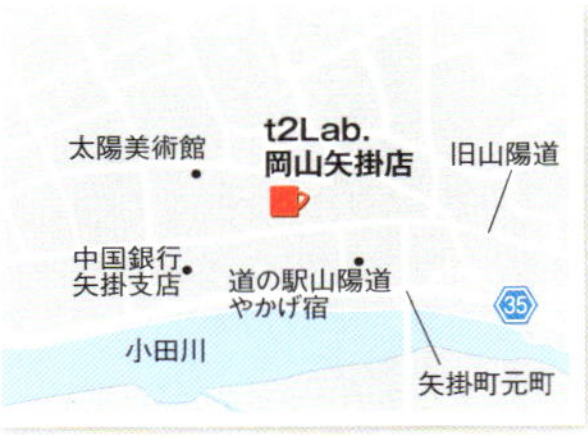

MENU

- だんご行列（元祖）……………………1,400円
- 抹茶の小さなティラ枡 ………………380円
- みたらし玉 …………………………120円
- 手ごねの煮込みチーズハンバーグ
  （ライス（おかわり自由）、玉プレサラダ、みそ汁付き）……1,200円
- チーズたっぷりピザ（ポテト付き）…………1,100円

あわい

あわい

加賀郡吉備中央町和田1527

070-4726-8461
営 金・土曜11:00〜18:00（OS18:00）、日曜12:00〜18:00（OS18:00）
※イベント出店により変動あり

休 月〜木曜
禁煙　※屋外での喫煙可
P 10台
交 有漢ICから車で11分

自分の時間を取り戻す
癒やしの古民家カフェ

1.庭を眺められるテラス席も利用したい。時折吹く高原の風が優しい　2.ずしりと力強い苦味のなかにふくよかな甘みを感じる自家焙煎の深いりコーヒー500円　3.「オープンサンド木耳（きくらげ）&トマ玉チーズ」と「野菜とチーズのブラウンシチュー」はセットで950円。食パンは近隣の天然酵母パン店「焼き屋」のもの。シチューはコク深く具沢山　4.自家焙煎コーヒーとよく合う手作り「濃厚ガトーショコラ」550円

吉備高原の里山地域、日本の原風景に囲まれた古民家カフェ「あわい」。土間玄関をくぐると、和室をリノベーションしたノスタルジックな空間が広がる。座席は造りがそれぞれ異なるテーブルとソファーが配され、座った途端に2匹の看板猫の熱い歓迎を受ける。棚にディスプレーされた本は、おもにオーナー夫妻のコレションで自由に読める。おすすめは3種のパンメニューと2種のスープから選んで組み合わせる「スープセット」。ボリュームがあってランチにぴったりだ。このほか手作りスイーツもそろい、米粉など植物性素材のみのスイーツも楽しめる。ネルドリップで丁寧に落とされた自家焙煎コーヒーを味わいながら、日常と非日常の間（あわい）のような、自分だけのゆったりとした時間が過ぎていく。

MAP

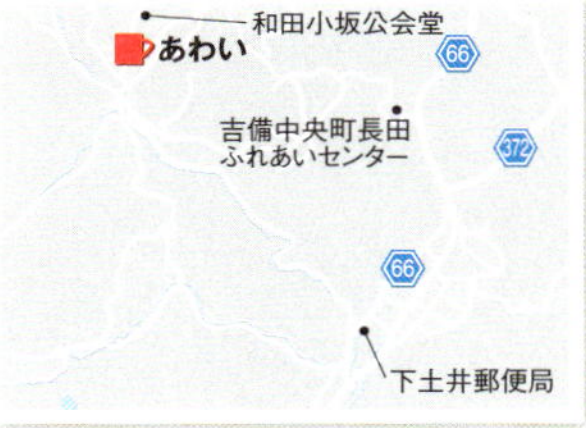

MENU

- キューバサンド……………………650円
- 季節のポタージュ……………………500円
- ナッツとドライフルーツのカッサータ（アイスチーズケーキ）……………………650円
- キャラメルバナナマフィン……………………450円
- 米粉フロランタン……………………250円
- 自家製梅ジュース（ice/hot/soda）…………500円

Special

-特集-

イートインOKのケーキ屋さん

パティシエが腕を振るう本格スイーツ。

多彩なケーキが伝える
老舗が誇る技と味わい

EAT-IN OK CAKE SHOP

ラ・セゾン・ド・フランセ

奉還町で半世紀以上の歴史を紡ぐ老舗パティスリー。30種近いショートケーキや20種以上のホールケーキをはじめ、シュークリームやマカロンなど、目移りするほど種類豊かなスイーツが店内を彩る。パティシエの独創的な感性と、契約農家から旬のフルーツを直接仕入れるといった素材へのこだわりが生み出すケーキは、親子3代で訪ねるファミリーから学生まで、幅広い層にファンを持つ。カフェスペースでは、ひきたての豆で抽出するコーヒーや高梁紅茶といったケーキの美味しさを引き立てるドリンクとともに、好みのスイーツを味わって。予約だけで完売するほど人気の足守メロンのケーキや秋限定のマロンパイなど、季節限定で登場する名物商品もお見逃しなく。

1

2

3

1.木の温もりを感じさせる、落ち着いた雰囲気のカフェスペース 2.ホールケーキがくるくると回転するショーケースも 3.ケーキ以外のスイーツも豊富 4.贈答品やプチギフトにピッタリの焼き菓子も人気だ

4

SHOP INFO

ラ・セゾン・ド・フランセ

ラ・セゾン・ド・フランセ

〒 岡山市北区奉還町2-16-16
☎ 086-253-7130
営 10:00～19:00(OS18:30)
※土・日曜、祝日は～18:00(OS17:30)
休 火曜
禁煙
P 提携駐車場あり(2000円以上購入の場合)
交 JR岡山駅より徒歩5分

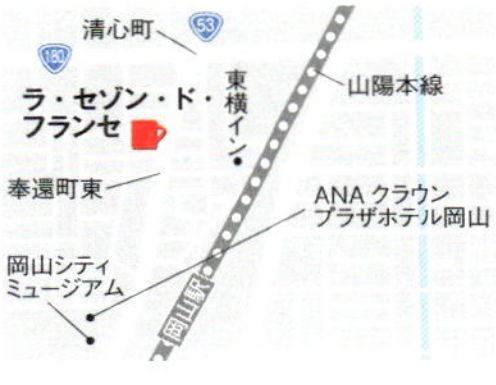

MENU

・ショートケーキ ‥‥‥‥‥‥‥‥‥‥‥‥‥ 420円～
・ホールケーキ ‥‥‥‥‥‥‥‥‥‥‥‥‥ 1,700円～
・生ロール(苺飾り) ‥‥‥‥‥‥‥‥‥‥‥ 2,200円～
・ケーキセット ‥‥‥‥‥‥‥‥‥‥‥‥‥ 750円～
・焼き菓子 ‥‥‥‥‥‥‥‥‥‥‥‥‥‥ 150円～
・クッキーボックス(10枚入り) ‥‥‥‥‥‥ 1,900円

老舗洋菓子店の カフェスペースで甘い時間を

EAT-IN OK CAKE SHOP

菓子工房 る・ぷらんたん

40数年前の創業以来、地域の人々に愛され続けている「る・ぷらんたん」。「誕生日やクリスマス、記念日や行事などは、ここのホールケーキに決めている」という常連客も多いそう。２００９年、現地に移転。カフェスペースもあり、若い世代からシニア層、親子連れまで、幅広い客層に支持されている。なかでも人気なのが「る・ぷらんたん 火曜日の贈り物」。ショーケースに並ぶケーキやスイーツを90分間好きなだけ食べられるバイキングだ。ドリンクもおかわり自由。友人や家族とスイーツを存分に味わいながらおしゃべりを楽しむ、幸せに満ちたひと時を過ごせる。

季節のフレッシュな素材を使ったケーキが種類豊富にそろう。期間限定のものもあるので、旬のおいしさをお見逃しなく！

1

2

3

1.さくらんぼを使った夏季限定の「スリーズ」500円　2.ゆっくり過ごせる店内　3.人気の「ちぃずさん」160円・「半熟ショコラ」160円・「マカロン」各210円。これらはバイキングでもセレクト可 4.ケーキのラインアップは季節ごとに変わる

4

SHOP INFO

菓子工房《かしこうぼう》 る・ぷらんたん

- 〒 岡山市北区野田3-7-9
- ☎ 086-246-5112
- 営 カフェ10:00～18:30（OS18:10）
テイクアウト9:00～19:30
- 休 なし
- 禁煙
- P 10台
- 交 JR大元駅から車で6分

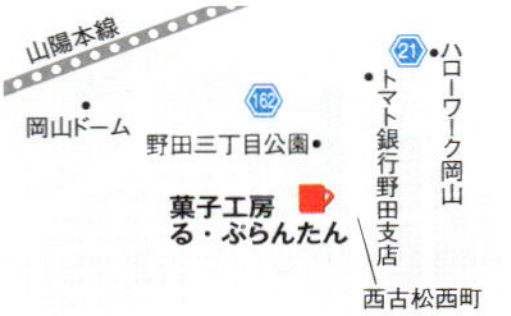

MENU

・パティシエケーキセット（ケーキ1種＋ドリンク）
　Aセット（470円以下のケーキ）…………… 850円
　Bセット（480円以上のケーキ）…………… 900円
・ケーキバイキング（90分）10:00～16:30受付終了
　大人 2,500円　小学生 1,800円
　小学生未満 1,300円（同伴の3歳以下は無料）
　※要予約（電話・店頭）

イートインならではの デコレーションプレートが人気

EAT-IN OK CAKE SHOP

Patisserie Cafe Jeu Coeur

岡山市南区浦安にある、欧風タイルの外壁が目を引くパティスリー。毎日２５種類ほどのケーキを販売しており、「フォンダンショコラ」や「苺のショートケーキ」といった王道商品のほか、季節ごとに旬のフルーツを使用したケーキもそろう。「もう一つ食べたくなるような、軽いケーキを作りたい」というオーナーパティシエ・竹内さんの考えから、ケーキのサイズはどれもコンパクト。イートインでは、選んだケーキに合わせてムースやクッキー、フルーツなどを華やかにデコレートしたプレートで提供している。ケーキ単品の価格でオーダーすることができるのに加え、セットでドリンクを頼めば１００円引きにもなるので、ぜひ店内で味わって。

1

2

3

1.中に木いちごのソースとジャムが入った「フォンダンショコラ」519円 2.店舗奥には6人用の個室席もある 3.ショーケースにはさまざまな種類のケーキが並ぶ 4.いちごたっぷりの「フレジエ」519円。350円の「ホットコーヒー」はセットで頼むと100円引き

4

SHOP INFO

Patisserie Cafe Jeu Coeur《ぱてぃすりー かふぇ じゅくーる》

〒 岡山市南区浦安本町74-5 1F
☎ 086-250-3308
営 11:00～20:00
（イートインはOS19:30）
休 月曜、第2水曜
禁煙
P 3台
交 JR備前西市駅から車で9分

MENU

・タルトショコラ	499円（490円）
・苺のショートケーキ	479円（470円）
・抹茶のオペラ	479円（470円）
・モンブラン	479円（470円）
・スフレチーズケーキ	336円（330円）

※カッコ内はテイクアウト時の価格

県産素材にこだわった色とりどりのスイーツを

EAT-IN OK CAKE SHOP

パティスリー ル・フォワイエ　天城本店

２０２１年に創業30周年を迎え、イオン岡山店や青江店など複数の店舗を県内に展開する「ル・フォワイエ」。新鮮で上質な素材にこだわり、岡山県産の小麦粉や美星町の卵を使用。バームクーヘンなどの焼き菓子には、最高級の品質で知られる備前市の「吉村養蜂場」の蜂蜜を使い、しっとりと上品な味わいに仕上げている。

天城本店ではショップにカフェを併設。モダンなテイストにまとめられた空間で、ショーケースから好きなケーキを選んでゆったりと味わえる。食パンもおいしいと評判で、トーストメニューの「いちごカスタード」がおすすめ。自家製食パンにイチゴのソースがたっぷりとかかり、見た目も華やか。モーニングタイム(9～11時)はドリンク代がお得になるのがうれしい。

1

2

3

1.ケーキにはアイスクリームや焼き菓子が付く。この日はバームクーヘン　2.20種類以上のケーキが並び、どれにしようか迷うほど。焼き菓子も人気　3.トーストにカスタードやアイスクリームがのる「いちごカスタード」 4. 店舗で焼き上げる「匠食パン」(1斤432円)

4

SHOP INFO

パティスリー《ぱてぃすりー》
ル・フォワイエ《る・ふぉわいえ》 天城本店《あまきほんてん》

〒 倉敷市有城595-1
☎ 086-428-8747
営 10:00～20:00(カフェOS19:00)
休 不定休
禁煙、分煙の区別:禁煙
P 20台(第2駐車場20台)
交 JR倉敷駅から車で15分

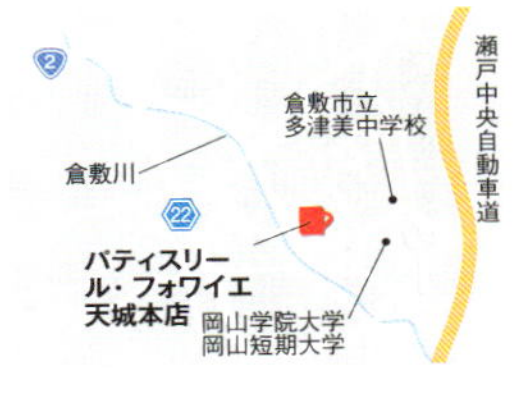

MENU

- トーストセット(いちごカスタード)
  ドリンク代440円~+トースト495円(9～11時は385円)
- ケーキ各種 ………… 418円～(イートインの場合)
- ブレンドコーヒー ………… 440円
- カフェラテ ………… 462円
- 紅茶 ………… 550円
- ジュース各種 ………… 440円～

イートイン限定の絶品スイーツに注目

EAT-IN OK CAKE SHOP

パティスリー ピアジェ 児島本店

ジーンズの町・児島で30年以上愛されているパティスリー。種類豊富なケーキは、「豊かなコクがありながら、あっさりと食べられる」と幅広い世代に人気で、デニムをイメージさせる藍色のケーキでも話題を集める。緑彩るテラスを備えたイートインスペースで見逃せないのは、イートイン限定スイーツ。「ふわふわスフレパンケーキ」は、驚くほど白いスフレ生地のうっとりするよう口溶けや、上品なチーズのコクとフランボワーズソースの酸味のアクセントが秀逸。「Ｐａｒｆａｉｔ（パフェ）」も、さまざまな自家製ジェラートや果物に、ケーキと同じスポンジやクリーム、ソース、クッキーまでぎっしり詰め込んだ逸品だ。パティスリーならではのぜいたくな品々を、多彩なドリンクとともに楽しんで。